FREMDSPRACHENTEXTE · FRANZÖSISCH

Marie-Sabine Roger

La tête en friche

Herausgegeben von
Mireille Schauwecker

Philipp Reclam ju

RECLAMS UNIVERSAL-BIBLIOTHEK Nr. 19819

Umschlagabbildung: Gérard Depardieu und Gisèle Casadesus
im Film *La tête en friche* von Jean Becker (2010)
Gesamtherstellung: Reclam, Ditzingen. Printed in Germany 2012

ISBN 978-3-15-019819-3

www.reclam.de

À Émile et Germaine, Alice et Henri,
Louis et Simone / Voir: racines.

À Samuel, Antoine et Cécile /
Voir: fruits.

[Titel] **en friche:** brachliegend, unbebaut; (fig.): ungenutzt (*la friche:* Brachland, unbebautes Gelände).

J'ai décidé d'adopter Margueritte. Elle va bientôt fêter ses quatre-vingt-six ans, il valait mieux pas trop attendre. Les vieux ont tendance à mourir.

Comme ça, s'il lui arrive un truc, je sais pas – tomber par terre dans la rue, ou se faire gauler son sac – je serai là. Je pourrai arriver tout de suite et pousser les gens du milieu, leur dire:

– Ok! C'est bon, tirez-vous, maintenant! Je m'en charge: c'est ma grand-mère.

Ce n'est pas écrit sur sa tête qu'elle est seulement adoptée.

Je pourrai lui acheter son journal, ses bonbons à la menthe. M'asseoir près d'elle dans le parc, aller la voir aux Peupliers, le dimanche. Et rester pour manger avec elle à midi, si je veux.

Bien sûr, avant aussi, j'aurais pu, mais je me serais senti en visite. Maintenant, ce sera par plaisir, et aussi par devoir. C'est ça qui est nouveau: les obligations familiales. C'est un truc qui va bien me plaire, je le sens.

Ça me change la vie, de l'avoir rencontrée, Margueritte. Avoir quelqu'un à qui penser avec plaisir, quand je suis seul – quelqu'un d'autre que moi, je veux dire –

2 **mieux valoir faire qc:** lieber etwas tun. • 4 **le truc** (fam.): Sache, Dingsbums; Trick. • 5 **se faire gauler qc** (fam.): sich etwas klauen lassen. • 8 **se tirer** (fam.): abhauen, sich verziehen. • 8 f. **se charger de qc:** sich um etwas kümmern, etwas übernehmen. • 14 **les Peupliers:** Name eines Altersheims (*le peuplier:* Pappel). • 18 **par devoir:** aus Pflichtgefühl (*le devoir:* Pflicht). • **une obligation:** Zwang, Verpflichtung.

ça fait drôle. J'en ai pas l'habitude. Je n'avais jamais eu de famille avant elle.

Enfin, je me comprends. J'ai une mère, pas le choix. Seulement, elle et moi, mis à part d'avoir été imbri-
5 qués l'un dans l'autre neuf mois, on n'a pas partagé grand-chose, sauf le pire. Pour le meilleur, j'en ai pas souvenir. J'ai un père, aussi, forcément. Mais j'en ai pas profité bien longtemps, il a fait son affaire à ma mère, et basta. Ceci dit, ça m'a pas empêché de gran-
10 dir, plutôt mieux que les autres en moyenne: cent dix kilos de muscles et pas un poil de graisse, un mètre quatre-vingt-neuf sous la toise, le reste à l'avenant. Si mes parents m'avaient voulu, j'aurais sûrement fait leur fierté. Pas de chance.

15 Ce qui est nouveau pour moi, également, c'est qu'avant Margueritte je n'avais pas encore aimé quelqu'un. Je ne vous parle pas des choses sexuelles, je vous parle de sentiments sans qu'on aille au plumard après. Tendresse et affection, et confiance. Et
20 tout ça. Des mots que j'ai encore un peu de mal à prononcer, vu qu'on ne me les avait jamais dits de plain-

1 **faire drôle** (fam.): komisch sein, ein komisches Gefühl vermitteln. • 4 f. **être imbriqué, e:** ineinander greifen, zusammenstecken; hier (fam.): eng miteinander verbunden sein, ineinanderstecken. • 7 **forcément:** zwangsläufig, notwendigerweise; na klar. • 8 **faire son affaire à qn** (vulg.): es jdm. besorgen. • 9 **ceci dit** (fam.): trotz allem, abgesehen davon. • 11 **un poil de …** (fam.): ein bißchen …; hier: eine Spur … • 12 **la toise:** Messlatte, Messlineal. • **à l'avenant:** (dem)entsprechend (*avenant, e:* ansprechend, gefällig). • 18 f. **aller au plumard** (fam.): in die Federn kriechen (*le plumard*, fam.: Bett, ‚Klappe', ‚Falle'). • 19 **une affection:** Zuneigung. • 20 **avoir du mal à faire qc:** sich damit schwertun, etwas zu tun. • 21 f. **de plain-pied:** ebenerdig, auf gleicher Höhe; hier (fig.): ohne Umschweife, direkt.

pied, avant que Margueritte en parle. Des sentiments très convenables et purs.

Je tiens à préciser, parce qu'ici j'en connais qui seraient largement assez cons pour me dire, Alors Germain, tu dragues les mamies? Tu te farcis le troisième âge?

Ça ne me gênerait pas de leur mettre un pain, à ceux-là.

Dommage que je n'ai pas connu Margueritte quand j'en avais vraiment l'usage, à l'époque où j'étais minot, quand je passais mon temps à essayer toutes les conneries qu'on peut faire.

Mais il ne faut jamais rien regretter, dans la vie: ce qui est passé doit rester en arrière.

Je me suis fait tout seul, et alors? Même si ce n'est pas bâti dans les normes, ça tient.

Margueritte, elle se tasse, par contre. Elle se tient de guingois, pliée sur ses genoux. Va falloir que j'en prenne soin, si je veux vraiment qu'elle me dure. Elle

2 **convenable:** passend, angemessen; anständig (*convenir:* geeignet sein, passen). • 4 **con, conne** (fam.): dumm, blöd (*le con / la conne*, fam.: Blödmann, blöde Ziege). • 5 **draguer qn** (fam.): jdn. anmachen, anbaggern, aufreißen. • **la mamie** (fam.): Oma, Omi. • **se farcir qn** (fam.): jdn. vernaschen, mit jdm. ins Bett gehen; sich jdn. antun müssen (*farcir:* füllen, farcieren). • 7 **gêner:** stören, in Verlegenheit bringen; von etwas abhalten (*gênant, e:* peinlich, unangenehm). • **mettre un pain à qn** (fam.): jdm. eins auf die Nase geben. • 10 f. **le minot** (région.; fam.): kleiner Junge. • 12 **la connerie** (fam.): Quatsch, Mist. • 14 **être passé, e:** vorbei sein. • 15 f. **être bâti dans les normes** (f.): etwa: das gängige Verfahren sein. • 17 **se tasser:** zusammensinken; hier (fam.): gebeugter werden, schrumpfen. • 18 **de guingois:** schief. • 18 f. **prendre soin de qn / qc:** jdn./etwas pflegen. • 19 **durer à qn** (fam.): jdm. lange erhalten bleiben.

a beau faire sa maligne, elle est fragile. Elle a des petits os de piaf, je pourrais les casser entre deux doigts, facile. Je dis ça comme ça, c'est pour dire. Bien sûr, je ne le ferai pas. Casser les os de sa grand-mère, faudrait être taré! C'est seulement pour montrer comme elle est délicate. Elle me fait penser aux petits animaux en verre filé qu'ils vendent chez Granjean, à la papeterie. Une biche, surtout, dans la vitrine. Elle est minuscule, avec des pattes fines, fines! Pas plus épaisses que des cils. Margueritte, elle est comme ça. Quand je passe devant cette biche, je l'achèterais bien. Trois euros qu'est-ce que c'est? Seulement je sais que dans ma poche elle se pèterait tout de suite. Et puis où est-ce que je la mettrais? Chez moi, ce n'est pas très fourni en étagères, pour poser la décoration. C'est petit, une caravane.

Pour Margueritte non plus, je n'avais pas de place, au début. À l'intérieur de moi, je veux dire. Lorsque j'ai commencé à m'attacher, j'ai bien senti que je devrais me faire de l'espace, rien que pour elle, et pour mes sentiments. Parce que l'aimer, ça me venait en plus du reste – tout ce que j'avais déjà dans le crâne – et je n'avais pas prévu ça. Alors j'ai fait mes range-

1 **avoir beau faire qc:** noch so sehr etwas tun können. • **faire qc:** hier: etwas spielen. • **le malin / la maligne:** Schlaukopf, Schlauberger (*malin, maligne:* schlau, clever). • 2 **le piaf** (fam.): Sperling, Spatz. • 5 **taré, e** (fam.): verrückt, bescheuert (*le taré / la tarée:* Idiot, Dummkopf / blöde Kuh). • 7 **le verre filé:** Glasfaser. • 8 **la biche:** Reh. • 9 **la patte:** Bein, Pfote, Tatze; (fam.) Fuß. • 10 **le cil:** Wimper. • 13 **se péter** (fam.): kaputtgehen (*péter qc*, fam.: etwas kaputtmachen). • 15 **être fourni, e en:** gut ausgestattet sein mit. • 19 **s'attacher (à qn):** jdn. lieb gewinnen, Zuneigung zu jdm. entwickeln. • 22 **le crâne:** Schädel. • 23 **prévoir qc:** etwas vorhaben; etwas vorausahnen; hier: an etwas denken, auf etwas gefasst sein.

ments. Du coup, je me suis rendu compte que je n'avais pas grand-chose à garder d'important. Je m'encombrais de tout un tas de bordel imbécile. Les jeux à la télé, les blagues à la radio, les discussions avec Jojo Zekouc au café restau Chez Francine. La belote en 5000 avec Marco, Julien et Landremont. Et puis les soirs où j'allais voir Annette, pour lui tirer ma crampe avec des mots d'amour. Mais ça, c'est bon pour la tête au contraire: on ne peut pas penser, avec les burnes pleines. Pas de façon correcte et profonde, en tout cas.

Annette, j'en parlerai une autre fois. C'est plus pareil, entre elle et moi.

3 **s'encombrer de qc:** sich mit etwas belasten (*encombrer:* versperren, verstopfen; belasten). • **le bordel:** hier (fam.): Chaos, Saustall. • 4 **la blague** (fam.): Witz (*blaguer*, fam.: Witze machen). • 5 **le restau** (fam.): *le restaurant.* • 6 **la belote:** französisches Kartenspiel ähnlich dem *Schafkopf.* • **en 5000:** Die Gewinnpunktezahl kann je nach Spielregel zwischen 1000 und 5000 festgesetzt werden. • 7f. **tirer sa crampe** (fam.): etwa: sich sexuell erleichtern (*la crampe:* Krampf). • 10 **les burnes** (f.; vulg.): ‚Eier', ‚Sack'.

La première fois que j'ai vu Margueritte, elle était sur ce banc, là-bas. Sous le gros tilleul, à côté du bassin. Il devait être dans les trois heures de l'après-midi, avec un beau soleil, un temps trop doux pour la saison.
5 C'est pas bon pour les arbres: ça bourgeonne à tout va et si ça prend un coup de gel, les fleurs coulent et les fruits sont rares.

Elle était habillée pareil que d'habitude. Évidemment, ce jour-là, je ne pouvais pas le savoir, qu'elle
10 s'habillait toujours comme ça. Les façons de faire des autres, on les connaît seulement quand on connaît les gens. La première fois, on ne peut pas prévoir ce qui va suivre. On ne sait pas si on s'aimera, si on se souviendra du premier jour, plus tard. Si on en arrivera à
15 s'insulter, ou à se foutre sur la gueule. Ou si on deviendra des potes. Et tous les *ou* et tous les *si* qui vont avec. Et les *peut-être*.

Les *peut-être*, c'est ça, le pire.

Margueritte était là, assise sans rien faire, les yeux
20 dans le vague. Bien en face de la pelouse, au bout de

2 **le tilleul:** Linde. • 3 **dans les trois heures:** gegen, um circa drei Uhr. • 5 **bourgeonner:** Knospen treiben, sprießen. • **à tout va:** hemmungslos, auf Teufel komm raus. • 6 **le gel:** Frost. • **couler:** untergehen; hier: zerstört werden, absterben. • 10 **la façon de faire:** Handlungsweise, Art, Gewohnheit. • 15 **s'insulter:** sich gegenseitig beschimpfen, beleidigen (*une insulte:* Beleidigung). • **se foutre sur la gueule** (fam.): sich die Fresse polieren, einander auf die Schnauze hauen (*la gueule*, fam.: Gesicht, Fresse, Schnauze). • 16 **le pote** (fam.): Kumpel. • 20 **le vague:** Unklarheit, Undeutlichkeit; Leere (*vague:* verschwommen, undeutlich). • **la pelouse:** Rasen.

l'allée principale. Elle portait une robe imprimée, avec des fleurs grises et violettes de la couleur de ses cheveux, un gilet gris tout boutonné, et puis des bas et des chaussures sombres. Près d'elle, il y avait un sac noir.

5 Je me suis dit qu'elle n'était pas prudente. Un sac posé comme ça, je le vole comme je veux. Quand je dis *je*, ce n'est pas de moi que je parle. *Je*, c'est mis pour: *les gens*. Les racailles, en tout cas. Surtout qu'une petite vieille, c'est facile à semer à la course.
10 Tu la pousses du plat de la main, d'un coup sec, ça suffit: elle tombe avec un petit cri, elle se fait un col du fémur, et puis elle reste allongée presque morte et toi – pas vous ni moi, bien sûr: les racailles – tu peux te tailler bien tranquille, d'ailleurs c'est fait, tu es déjà
15 loin. Ne me demandez pas d'où je peux tenir ça. Enfin bon, elle n'était pas prudente.

J'aurais très bien pu ne pas venir au parc, ce lundi où je l'ai connue. J'aurais pu être occupé, ne pas avoir une minute libre. Qu'est-ce que vous vous imaginez?
20 Certains jours, j'ai des choses à faire: mesurer entre mes mains le tronc des jeunes pins plantés au bord de la rocade, pour surveiller la déforestation (la moitié

3 **le gilet:** Weste; Strickjacke. • **boutonner:** zuknöpfen (*le bouton:* Knopf). • **le bas:** (Nylon-)Strumpf. • 5 **prudent, e:** vorsichtig, vernünftig. • 8 **la racaille:** Abschaum, Gesindel, Gesocks; (vx.) Schurke. • 9 **semer qn** (fam.): jdn. abhängen. • 10 **le plat de la main:** die flache Hand. • **d'un coup (sec):** abrupt. • 11f. **se faire un col de fémur** (fam.): eigtl.: *se casser le col de fémur:* sich den Oberschenkelhalsknochen brechen. • 14 **se tailler** (fam.): abhauen, verduften, sich aus dem Staub machen. • 15 **tenir qc de qn:** etwas von jdm. haben. • 21 **le tronc:** Stamm. • 22 **la rocade:** Umgehungsstraße. • **surveiller:** beobachten, beaufsichtigen. • **la déforestation:** Baumsterben; Abholzung.

d'entre eux va crever, j'en suis sûr, c'est pour ça que je vérifie. D'ailleurs, c'est pas étonnant, que ça crève, quand on voit comment ils s'y sont pris, ceux des espaces verts, à la mairie!). M'entraîner à courir le plus
5 longtemps possible, à tirer les canettes au pistolet à plomb, devant la caravane. C'est pour le souffle et les réflexes, si un jour je devais m'échapper d'un attentat, ou sauver des gens, faut prévoir. Et un tas d'autres choses, aussi. D'autres choses très différentes. Par
10 exemple, je sculpte des morceaux de bois avec mon Opinel. Je fais des animaux, des petits personnages. Des gens que je vois dans la rue, des chats, des chiens, n'importe qui.

Ou bien je vais au parc, pour compter les pigeons.
15 En passant, j'en profite pour écrire mon nom en lettres majuscules, sur la plaque de marbre au-dessous du soldat du monument aux morts. Bien sûr, à chaque fois, quelqu'un de la mairie l'enlève et puis m'engueule, Germain, arrête un peu tes conneries, y en a
20 marre, tu nettoieras, au prochain coup!

Pourtant ce sont des feutres indélébiles – *qui ne peut s'effacer / voir: ineffaçable* – je les ai payés assez

1 **crever** (pop.): krepieren, abkratzen. • 3f. **les espaces verts** (fam.): eigtl.: *la direction des parcs, jardins et espaces verts:* Städtisches Gartenbauamt (*un espace vert:* Grünfläche). • 5 **tirer qc:** hier: etwas schießen. • **la canette:** (Trink-)Dose, Bierdose. • 5f. **le pistolet à plomb** (m.): Bleipistole. • 6 **le souffle:** Atmung, Atem. • 11 **un Opinel:** französisches Taschenmesser mit Holzgriff (Produkt- und Markenname). • 16 **la lettre majuscule:** Großbuchstabe. • **la plaque:** Platte. • **le marbre:** Marmor. • 17 **le monument aux morts** (m.): Kriegsgefallenendenkmal. • 18f. **engueuler qn** (fam.): jdn. anschreien, anschnauzen, ausschimpfen. • 19f. **y en a marre** (fam.): das reicht! • 21 **indélébile:** wasserfest; unauslöschlich. • 22 **effacer:** löschen, entfernen, wegwischen (*ineffaçable:* wasserfest, nicht zu entfernen). • **voir:** hier: siehe auch.

cher. D'ailleurs je vais aller leur dire, à la papeterie, que c'est du foutage de gueule. C'était marqué «toutes surfaces», c'est du vol. Le marbre, c'est une surface – que je sache, comme dirait Margueritte qui parle toujours bien.

En tout cas, dès que mon nom est effacé, je n'ai plus qu'à recommencer. C'est pas grave, je suis patient. Il restera peut-être, à force.

En plus je ne vois vraiment pas qui ça gêne, que je mette mon nom: je l'écris tout en bas. Même pas dans l'ordre alphabétique alors que je pourrais avoir des exigences, parce que Chazes, ce n'est pas à la fin, loin de là. Je pourrais me placer cinquième, dans leur liste!

Entre Pierre Boisverte et Ernest Combereau.

Un jour, je l'ai dit à Jacques Devallée, qui est secrétaire à la mairie. Il a hoché la tête, il a répondu que je n'avais pas tort sur le fond, et que les listes de noms sont effectivement conçues pour écrire des noms dessus!

– Toutefois, il a ajouté, toutefois il y a un détail dont il faut tenir compte …

– Ah oui, et lequel? j'ai fait, comme ça.

– Eh bien, si tu regardes avec un peu plus d'attention, tu remarqueras que tous ceux dont le nom est gravé au bas du monument aux morts ont un point commun: ils sont morts.

8 **à force** (f.): mit der Zeit, zwangsläufig. • 12 **une exigence:** Anspruch. • 16 **hocher la tête:** (mit dem Kopf) nicken; den Kopf schütteln. • 17 **ne pas avoir tort:** Recht haben, nicht Unrecht haben (*le tort:* Unrecht). • **sur le fond:** im Großen und Ganzen, grundsätzlich. • 20 **toutefois:** jedoch, indessen. • 21 **tenir compte de qc:** etwas berücksichtigen, bedenken. • 23f. **une attention:** Aufmerksamkeit. • 25f. **le point commun:** Gemeinsamkeit.

– Ah bon! j'ai fait. Ah bon, c'est comme ça! Alors pour y avoir droit, il faut avoir passé l'arme à gauche, c'est ça?

– C'est un peu dans cet esprit-là, en effet ..., il a
5 fait.

Il avait beau prendre son air supérieur, je lui ai dit que quand je serai mort, ils seront bien obligés de m'y graver aussi, sur leur putain de liste.

– Pourquoi donc?

10 – Parce ce que je vais faire un papier pour le notaire. Je vais lui demander que ce soit dans mon testament. Les dernières volontés d'un défunt, ça se respecte.

– Pas forcément, Germain. Pas forcément ...

15 N'empêche, je sais ce que je dis. J'y ai pensé, en rentrant chez moi: à ma mort (quand voudra le Seigneur, et Son heure sera la mienne), je veux qu'on l'écrive, mon nom. À la cinquième place. La cinquième en partant du haut, puisque c'est ça, et pas
20 d'arnaque! Ils se débrouilleront comme ils voudront, ces cons, à la mairie. Un testament, c'est un testament et puis c'est tout! Oui, je me suis dit, je vais le faire, ce papier. Et je demanderai que ce soit Devallée qui

2 **passer l'arme à gauche** (loc.): das Zeitliche segnen, sterben (*une arme:* Waffe, Gewehr). • 6 **un air:** hier: Gesichtsausdruck, Aussehen (*avoir l'air:* aussehen). • 8 **le/la putain de ...** (pop.): der / die / das verdammte ... (*la putain*, pop.: Hure, Nutte). • 10 **le papier:** hier: Brief. • 12 **le défunt / la défunte** (litt.): der / die Verstorbene. • 15 **(il) n'empêche (que)** (+ ind.): trotzdem, immerhin, jedenfalls. • 16f. **le Seigneur:** Herr, Gott (*le seigneur:* adeliger Herr). • 20 **une arnaque** (fam.): Betrug, Verarschung. • **se débrouiller** (fam.): sich durchschlagen, zurechtkommen; sich etwas ausdenken.

me grave lui-même, rien que pour l'emmerder. J'irai voir chez maître Olivier, pour qu'on parle de ça ensemble. C'est un notaire, il saura bien quoi faire, non?

1 **emmerder qn** (pop.): jdm. auf die Nerven gehen, jdn. ankotzen. • 2 **maître:** Herr Notar (Anrede eines Rechtsanwalts oder Notars).

Toujours est-il que ce lundi – où j'ai rencontré Margueritte – je ne pensais pas au monument aux morts, j'avais d'autres projets. J'avais décidé d'aller m'acheter des semences et puis de passer par le parc en rentrant, pour compter les pigeons. C'est plus compliqué que ça n'en a l'air: on a beau s'approcher doucement, et rester immobile tout le temps qu'on les compte, rien à faire, il faut toujours qu'ils volent, qu'ils s'énervent. Ils font un peu chier, ces pigeons.

Si ça continue, je ne compterai plus que les cygnes. D'abord ça bouge moins, et puis c'est plus facile: ils sont trois.

Donc, Margueritte était assise sur ce banc, sous le tilleul, devant la pelouse. Quand j'ai vu cette petite vieille qui était du genre à leur jeter du pain pour les faire venir, ça m'a démotivé. Encore une journée foutue, j'ai pensé. Mon comptage d'oiseaux, je pourrais le remettre à demain. Ou à tout autre jour fixé par le Seigneur, à Son aise.

Compter les pigeons ça demande d'être tranquille, alors, si quelqu'un vient les agacer, autant laisser tom-

1 **toujours est-il que** (+ ind.): jedenfalls. • 4 **la semence:** Saatgut (*semer:* säen). • 6 **doucement:** vorsichtig, langsam (*doux, douce*: süß, sanft). • 7 **immobile:** regungslos, starr. • 9 **faire chier (qn)** (fam.): (jdm.) auf die Nerven gehen (*chier*, vulg.: kacken, scheißen). • 10 **le cygne:** Schwan. • 15 **(du) genre** (fam.): vom Typ, von der Art, wie. • 16f. **foutu, e** (fam.): mies; erledigt, im Eimer. • 18 **remettre qc à ...:** eine Sache auf ... verschieben. • 19 **à son aise** (litt.): ganz wie es ihm/ihr beliebt (*une aise*, litt.: Wohlbehagen). • 21 **agacer qn:** jdm. auf die Nerven gehen (*agaçant, e:* äußerst ärgerlich). • 21f. **laisser tomber:** aufgeben.

ber tout de suite! Ils sont sensibles aux regards, ces oiseaux. À un point, c'en est pas croyable! Prétentieux, même, on pourrait dire. À peine on s'y intéresse, aussitôt ça sautille, ça vole un peu partout, ça gonfle le jabot …

Et puis non. Comme quoi, on se trompe. Sur les gens, le Seigneur, les vieilles et les pigeons.

Les piafs ne lui ont pas fait leur cinéma. Ils sont restés groupés, bien sages. Elle ne leur a pas jeté de miettes de biscotte en bêlant des *peeetits-petits-petits!*

Elle ne m'a pas dévisagé du coin de l'œil, comme font les gens quand je compte.

Elle est restée très immobile. Mais juste au moment où j'allais repartir, elle a dit:

– Dix-neuf.

Comme j'étais à quelques mètres, je l'ai bien entendue. J'ai fait:

– C'est à moi que vous parlez?

– Je vous disais qu'il y en a dix-neuf. Ce petit, avec une plume noire au bout de l'aile, vous le voyez? Eh bien, c'est un nouveau, figurez-vous. Il n'est là que depuis samedi.

J'ai trouvé ça plutôt fort: j'avais trouvé le même nombre qu'elle.

J'ai demandé:

2 **à un point:** so sehr, auf eine Weise, derart. • **prétentieux, -euse:** überheblich, arrogant (*le prétentieux / la prétentieuse:* Angeber(in), eingebildete Person). • 4 **sautiller:** hüpfen. • **gonfler:** hier: aufplustern. • 5 **le jabot:** Kropf. • 6 **comme quoi** (fam): was zeigt, dass. • 8 **faire son cinéma à qn** (fam.): eine Show vor jdm. abziehen. • 10 **la miette:** Krümel, Brösel. • **la biscotte:** Zwieback. • **bêler:** blöken, winseln. • 11 **dévisager qn:** jdn. von oben bis unten anschauen, mustern. • 20 **la plume:** Feder. • 21 **se figurer que** (+ ind.): sich vorstellen, dass.

– Vous comptez les pigeons, vous aussi?
Elle a porté la main à son oreille, elle a dit:
– Comment dites-vous?
J'ai gueulé:
5 – Vous-comp-tez-les-oi-seaux-vous-aus-si? …
– Bien sûr, jeune homme: je les compte. Mais c'est inutile de crier, savez-vous? Il suffit de me parler lentement, en articulant bien … Enfin, assez fort malgré tout, si cela ne vous ennuie pas! …
10 De m'entendre appeler «jeune homme», ça m'a fait rigoler. Quoique, en y réfléchissant, ce n'était pas si con. On peut me trouver jeune ou vieux, c'est selon. Tout dépend de celui qui me parle. C'est normal: tout est relatif – *qui n'est tel que par rapport à une autre* 15 *chose.*
Pour une aussi vieille personne, j'étais jeune, c'est certain, en plus que ça soit relatif.
Quand je me suis assis à côté d'elle, j'ai vu que c'était vraiment une toute petite grand-mère. On dit 20 parfois des expressions comme «haute comme trois pommes», sans y penser. Mais dans son cas, ce n'était pas exagéré: ses pieds ne touchaient pas par terre. Alors que moi je suis toujours obligé d'allonger mes grandes cannes, loin devant.
25 Je lui ai demandé, poliment:
– Vous venez souvent ici?

2 **porter qc quelque part:** eine Sache zu etwas führen, mit etwas an etwas greifen. • 4 **gueuler** (fam.): schreien, brüllen. • 12 **selon:** je nachdem. • 20f. **haut, e comme trois pommes** (loc.): Dreikäsehoch. • 22 **exagérer:** übertreiben; überbewerten. • 23 **être obligé, e de faire qc:** genötigt, gezwungen sein etwas zu tun • 24 **la canne:** (Geh-)Stock; hier (fam.): Bein, Stelze. • 25 **poli, e:** höflich (*la politesse:* Höflichkeit).

Elle a souri:
– Presque tous les jours que le Bon Dieu fait …
– Vous êtes bonne sœur? j'ai dit.
Elle a secoué la tête, d'un air étonné.
– Religieuse, vous voulez dire? Seigneur non! Qu'est-ce qui vous fait croire cela?
– Je sais pas. Vous avez parlé du Bon Dieu, alors … Ça m'est venu, comme ça.
Je me suis senti un peu con. Mais «bonne sœur», ce n'est pas une insulte. Enfin, pour quelqu'un d'aussi vieux, en tout cas. De toute façon, elle n'a pas eu l'air vexée.
J'ai remarqué:
– C'est marrant, je ne vous avais jamais vue!
– J'ai pour habitude de venir un peu plus tôt. Mais, si je puis me permettre, en ce qui me concerne, je vous avais déjà aperçu, quelquefois.
J'ai fait:
– Ah!
Je ne vois pas ce que j'aurais pu répondre, à part ça.
Elle a dit:
– Alors, ainsi, vous aimez les pigeons?
– Oui. J'aime bien les compter, surtout.
– Ah, ça! … C'est une occupation prenante! Il faut sans cesse y revenir …

2 **le Bon Dieu:** der liebe Gott, der Herr. • 3 **la bonne sœur** (fam.): Nonne, Schwester. • 4 **secouer:** schütteln, aufrütteln. • 5 **la religieuse:** Ordensschwester, Nonne. • **Seigneur!** (interj.): oh Gott!, meine Güte! • 12 **(être) vexé, e:** beleidigt, gekränkt (sein) (*vexer:* kränken, beleidigen). • 13 **remarquer:** hier: anmerken. • 14 **marrant, e** (fam.): witzig, lustig, ulkig (*se marrer*, fam.: sich kaputtlachen). • 17 **apercevoir qn:** jdn. (flüchtig) sehen, bemerken. • 24 **prenant, e:** fesselnd, packend; hier: zeitraubend, zeitaufwendig. • 25 **sans cesse** (f.): ständig.

Elle parlait de façon compliquée, tout en guirlandes et poils de cul, comme les gens bien élevés. Mais les vieux sont souvent plus polis que les jeunes.

C'est drôle: en disant ça je pense aux galets de rivières qui sont parfaitement *polis* eux-mêmes, et parce qu'ils sont *vieux*, justement. Parfois les mots disent pareil pour expliquer des choses différentes, qui sont pourtant pareilles aussi, quand on y réfléchit longtemps.

Je me comprends.

Pour bien montrer que je n'étais pas le quart d'un imbécile, je lui ai dit:

– Je l'avais remarqué, moi aussi, ce tout petit, avec sa plume noire. Je l'ai appelé Plume Noire, du coup. Les autres ne le laissent pas trop s'approcher pour manger, vous avez vu?

– C'est vrai. Vous leur donnez des noms?

Elle avait l'air intéressée.

Croyez-le ou pas, c'est là que j'ai découvert ce que ça fait d'intéresser quelqu'un. Pour le cas où vous sauriez pas, je peux vous dire: ça fait drôle. Bien sûr, des fois, lorsque j'explique quelque chose, les autres font, Non, c'est pas vrai!? Tu déconnes? Quelle histoire, bon sang! … Mais je leur parle de trucs pas vraiment

1 **en guirlandes** (f.; fam.): etwa: in langen Sätzen. • 2 **en poils** (m.) **de cul** (fam.): ganz exakt, haargenau (*le cul*, fam.: Hintern). • **bien élevé, e:** wohlerzogen, gut erzogen. • 4 **le galet:** Kieselstein. • 5 **poli, e:** poliert, (glatt) geschliffen; höflich. • 11 **ne pas être le quart de qc** (fam.): etwa: nicht im Geringsten etwas sein. • 12 **un/une imbécile:** Idiot, Dummkopf / blöde Kuh (*imbécile:* idiotisch, dumm). • 14 **du coup** (fam.): darum, deshalb. • 15 **s'approcher:** sich nähern, näher kommen. • 23 **déconner** (fam.): Mist, Stuss reden. • 24 **bon sang!:** verdammt nochmal! (*le sang:* Blut).

personnels. Par exemple, une bagnole qui s'est plantée pendant la nuit, au grand virage de la côte, avec un mort et trois blessés (j'habite en face, c'est presque toujours moi qui appelle les pompiers, même qu'un jour il a fallu que je les aide à mettre un type en morceaux dans un sac, et c'est une belle merde à faire, ce boulot, croyez-moi). Ou bien je raconte à mes potes que les gars de l'usine ont menacé de barrer la sortie d'autoroute – je le sais parce qu'Annette travaille à l'entrepôt – enfin, des événements comme ça. D'actualité. Mais intéresser quelqu'un sur ce que je fais *moi*? Putain! ça m'a serré le gosier comme un gosse. J'ai failli chialer, c'est tout dire. S'il y a un truc qui me fout mal à l'aise, c'est ça. Heureusement pour moi, c'est rare, à part le jour où je me suis fait broyer le pied quand Landremont et moi on a déménagé sa sœur et qu'il a lâché sa commode sous prétexte qu'il avait les mains moites. N'importe qui aurait chialé: ça fait un mal de chien, même si c'est qu'une anecdote. Moi je vous parle de vraies larmes. Comme quand je suis arrivé premier aux Interrégionales de

1 **la bagnole** (fam.): ‚Kiste', ‚Karre' (Auto). • 1 f. **se planter** (fam.): stehen bleiben; hier: einen Unfall bauen. • 8 **barrer:** versperren (*le barrage:* Sperrung, Sperre). • 10 **un entrepôt:** Lager(halle). • 10 f. **d'actualité** (f.): aktuell, gerade passiert. • 12 **serrer le gosier à qn** (fam.): jdm. die Kehle zuschnüren, jdn. sprachlos lassen (*le gosier:* Kehle, Schlund). • **le/la gosse** (fam.): Kind; Sohn/Tochter. • 13 **faillir faire qc:** beinahe etwas tun. • **chialer** (fam.): (los)heulen, flennen. • **c'est tout dire** (loc.): das sagt schon viel. • 14 **foutre qn mal à l'aise** (fam.): jdm. unangenehm sein. • 15 **broyer:** zermalmen, zertrümmern, zerquetschen. • 16 **déménager qn** (fam.): jdm. beim Umziehen helfen. • 17 **sous prétexte que:** unter dem Vorwand, dass (*le prétexte:* Vorwand). • 18 **moite:** feucht. • 19 **faire un mal de chien** (fam.): höllisch weh tun. • 20 **la larme:** Träne. • 21 **les Interregionales:** Regionalwettbewerb.

course d'orientation, juste devant Cyril Gontier qui est vraiment un connard de première qui m'a pourri la vie pendant toute l'école primaire, et j'avais pas besoin de ça. Ou la nuit où je suis tombé amoureux
5 d'Annette, ce qui était très étonnant, parce qu'on baisait déjà depuis plus de trois mois. Mais ce soir-là c'était tellement beau de jouir avec elle, que les larmes m'en sont venues.

Tout ça pour dire que pour vous, je sais pas, mais
10 moi, pleurer, ça me fait honte. J'ai le nez plus morveux qu'un gamin de deux ans, ça me pisse des yeux pareil qu'une fontaine, je meugle comme à l'abattoir. À croire que chez moi, tout est en proportion de la carrure, et tant mieux pour les dames, y compris les
15 chagrins, et c'est tant pis pour moi.

Cette petite vieille, elle m'a ému sans faire exprès. Je ne sais pas pourquoi, peut-être sa façon gentille de me demander, Vous leur donnez des noms? Ou parce qu'elle avait l'air tout attendrie. Peut-être aussi parce
20 que, la veille au soir, on avait un peu trop arrosé les quarante ans de Jojo Zekouc, et que j'avais même pas

1 **la course d'orientation** (f.): Orientierungslauf. • 2f. **pourrir la vie à qn** (fam.): jdm. das Leben zur Hölle machen. • 3f. **ne pas avoir besoin de qc:** etwas nicht benötigen, auf etwas pfeifen. • 5f. **baiser** (pop.): ficken, bumsen (*la baise*, pop.: Ficken, Bumsen). • 7 **jouir** (fam.): ‚kommen', einen Orgasmus haben. • 10 **faire honte à qn:** jdm. peinlich sein (*la honte:* Schamgefühl, Schande). • 10f. **morveux, -euse:** verrotzt. • 11 **le gamin / la gamine** (fam.): Junge / Mädchen; Kind. • **pisser des yeux** (pop.): aus den Augen schießen. • 12 **meugler:** muhen; hier: laut schluchzen. • **un abattoir:** Schlachterei, Schlachthof. • 13 **à croire que** (+ ind.): man könnte fast meinen dass … • 14 **la carrure:** Statur, Format. • 15 **le chagrin:** Kummer, Schmerz. • 16 **émouvoir:** beeindrucken, bewegen, rühren (*émouvant, e:* ergreifend, bewegend). • 19 **attendrir qn:** jdn. rühren. • 20 **arroser:** gießen; hier (fig.): begießen.

dormi quatre heures. Mais les *peut-être*, je vous l'ai déjà dit, on n'en a jamais fait le tour.

En tout cas, je lui ai répondu:

– Oui, je leur ai donné un prénom à chacun. C'est plus facile à compter, comme ça.

Elle a levé les sourcils.

– Ça alors! Pardonnez-moi si je suis indiscrète, mais j'avoue que cela m'intrigue: comment faites-vous pour les reconnaître?

– Bah … C'est comme les gamins, vous savez … Vous avez des enfants?

– Non. Et vous?

– Non plus.

Elle a hoché la tête, en souriant.

– L'exemple est judicieux, dans ce cas …

Je ne savais pas trop ce que ça voulait dire, mais elle semblait vouloir en savoir plus, du coup j'ai continué:

– En fait, ils sont tous différents … Si on ne fait pas gaffe, on ne peut pas s'en rendre compte, mais quand on les observe bien, on voit qu'y en a pas deux les mêmes. Ils ont leur caractère, et même leur façon de voler. C'est pour ça que je dis: c'est comme les petits. Si vous aviez eu des gamins, je suis sûr que vous ne les confondriez pas …

Elle a eu un petit rire:

– Oh, si j'en avais eu dix-neuf, cela reste à voir! …

Ça m'a fait rire aussi.

2 **faire le tour de qc:** um etwas (herum)laufen; hier (fig.): etwas von allen Seiten betrachten. • 8 **intriguer qn:** jdn. stutzig machen; jdn. neugierig machen. • 15 **judicieux, -euse:** klug, gescheit; hier: gut gewählt. • 19 f. **faire gaffe** (fam.): aufpassen, Acht geben, vorsichtig sein (*la gaffe*, fam.: Fettnäpfchen, Fauxpas). • 25 **confondre:** verwechseln.

Je ne ris pas souvent avec les femmes. Pas avec les vieilles, en tout cas.

C'était bizarre, j'ai eu l'impression qu'on était copains, tous les deux. Enfin, pas vraiment, quelque chose d'approchant. J'ai repéré le mot qui me manquait, depuis: *complices*.

3f. **être copains / copines** (fam.): befreundet sein, Freunde sein. • 5 **approchant, e** (vx.): ähnlich. • 6 **être complices** (m./f.): eng verbunden sein, sich gut verstehen.

Les mots, ce sont des boîtes qui servent à ranger les pensées, pour mieux les présenter aux autres et leur faire l'article. Par exemple, les jours où on aurait l'envie de frapper sur tout ce qui bouge, on peut juste
5 faire la gueule. Mais du coup, les autres peuvent croire qu'on est malade, ou malheureux. Alors que si on dit d'une façon verbale, Faites pas chier, c'est pas le jour! ça évite les confusions.

Ou alors – autre exemple – une fille vous met la tête
10 à l'envers, on y pense toute la sainte journée dont le Seigneur nous a fait grâce, à croire que dans ces cas-là on a le cerveau qui descend dans la queue, si on lui dit, Je t'aime comme un fou et le tutti quanti, ça peut aider un peu, pour ce qui est d'arriver à faire son affaire.

15 Pourtant ce qui devrait compter, ce n'est pas l'emballage, c'est ce qu'on met à l'intérieur.

Il y a de beaux paquets-cadeaux qui contiennent de pauvres merdes, et des paquets mal ficelés avec des vrais trésors dedans. C'est pour ça que les mots, je
20 m'en méfie, voyez?

3 **faire l'article** (m.) **de qc à qn:** bei jdm. Werbung für etwas machen, jdm. etwas anpreisen. • 5 **faire la gueule** (fam.): sauer sein, ein beleidigtes Gesicht ziehen. • 8 **la confusion:** Missverständnis, Durcheinander. • 9f. **mettre à qn la tête à l'envers** (fam.): jdm. den Kopf verdrehen. • 11 **faire grâce à qn de qc:** jdm. etwas gewähren (*la grâce:* Gnade). • 12 **la queue** (pop.): ‚Schwanz'. • 13 **le tutti quanti** (loc.; it.): alles was dazu gehört. • 14 **faire son affaire:** hier (fam.): zum Ziel gelangen (sexuell). • 17 **le paquet-cadeau:** Geschenkverpackung. • 18 **la pauvre merde** (fam.): der größte Schwachsinn. • **ficeler:** zusammenschnüren (*la ficelle:* Bindfaden, Schnur). • 20 **voyez?** (fam.): *vous voyez?:* verstehen Sie?

Quand j'y réfléchis bien, c'était sûrement mieux pour moi, de pas en connaître des masses. J'avais pas besoin de choisir: je disais seulement ce que je savais dire. Du coup je risquais pas de me tromper. Et puis
5 surtout, je pensais moins.

Il n'empêche – et ça, je l'ai compris depuis Margueritte, je crois – avoir les mots qu'il faut, ça peut rendre service, quand on veut s'exprimer.

Complice, c'était le mot que je cherchais, ce jour-là.
10 En même temps, si je l'avais connu, ça n'aurait pas changé grand-chose. À mes sentiments, je veux dire.

2f. **ne pas avoir besoin** (m.) **de faire qc:** etwas nicht tun müssen. • 7f. **rendre service** (m.): ganz hilfreich sein.

Ce lundi-là, j'ai dit à Margueritte les prénoms de tous mes oiseaux. Enfin, ceux qui étaient là, parce qu'en tout il en vient vingt-six sur la grande pelouse. Je parle des habitués seulement. Sans compter les piafs de passage, ceux qui se posent en catastrophe, qui se ruent sur les miettes comme des malpolis, et qui se font flanquer des piles par les autres. J'ai commencé:

– Là c'est Pierrot. L'autre à côté, il s'appelle Têtu … Mouche, Voleur, Cocotte … Celui-là c'est Verdun. La petite marron, c'est Capucine … Là, Cachou … Princesse … Margueritte …

– Comme moi! elle a dit.

– Quoi?

– Je me prénomme Margueritte, moi aussi …

J'ai trouvé ça marrant, me dire que je parlais avec une Margueritte, pendant qu'une autre, emplumée de la tête au croupion, picorait un trognon de pomme à mes pieds.

Je me suis dit, Quelle *coïncidence!*

C'est un mot dont je sais le sens depuis pas très

4 **un habitué / une habituée:** Stammkunde, Stammkundin; Stammgast. • 4f. **de passage** (m.): auf der Durchreise. • 5 **se poser en catastrophe** (f.): notlanden. • 5f. **se ruer sur qc:** sich auf etwas stürzen. • 6 **le malpoli / la malpolie:** unhöfliche Person, Flegel. • 6f. **se faire flanquer des piles par qn** (fam.): von jdm. eine verpasst bekommen (*la pile:* Stapel; Batterie). • 8 **le têtu / la têtue:** Sturkopf (*têtu, e:* stur, eigensinnig). • 9 **la cocotte** (enf.): Henne, ‚Putput'; hier (fam.): Schätzchen, Liebling. • 14 **se prénommer:** mit Vornamen heißen. • 16 **emplumé, e:** gefiedert. • 17 **le croupion:** Sterz, Bürzel. • **picorer:** picken. • **le trognon:** Strunk, Kerngehäuse. • 19 **la coïncidence:** Zufall, Fügung.

longtemps: chaque fois que Landremont entre chez Francine et qu'il me trouve au comptoir en train de prendre un pot avec Jojo Zekouc, il me tape sur l'épaule en disant:

5 – Tiens? Germain au bistrot? Quelle coïncidence!

Moi je pensais que c'était une façon de me dire, Salut, content de te voir là. Alors que non, ça voulait seulement dire qu'il me voyait comme un pauvre poivrot, amarré à son zinc comme une moule à son ro-
10 cher. C'est Jojo qui m'a expliqué le vrai sens, un matin. Il a dit:

– Eh ben, à croire qu'il nous prend vraiment pour des pochards, notre ami Landremont!

J'ai demandé pourquoi. Il me l'a dit.

15 Landremont, ce n'est pas un copain. Il est capable de jouer à la coinche avec toi pendant une semaine, en te traitant pareil qu'un frère, et puis de t'envoyer son poing dans la gueule aussi sec, à la fête, le samedi. Quand il boit de trop, ça l'entame.

20 Lorsqu'il parle de Landremont, Marco l'appelle la girouette. Jojo dit qu'il est agité par des vents contraires. Francine le trouve lunatique. Avant, je croyais que ça voulait dire con comme la lune, et

2 **le comptoir:** Theke, Tresen. • 3 **prendre un pot** (fam.): etwas trinken (*le pot:* Krug, Kanne, Topf). • 5 **tiens?:** na sowas? • 8 f. **le poivrot / la poivrote** (fam.): Trinker(in), Trunkenbold. • 9 **amarrer qc:** etwas festmachen, festbinden, festketten. • **le zinc:** Zink; hier (fam.): Theke, Tresen. • **la moule:** Miesmuschel. • 13 **le pochard / la pocharde** (fam.): Säufer(in). • 16 **la coinche** (région.): anderes Wort für *belote*, französisches Kartenspiel, ähnlich dem *Schafkopf.* • 19 **entamer:** anschneiden; hier (fam.): angreifen, unzurechnungsfähig machen. • 21 **la girouette:** Wetterfahne, Wetterhahn. • **être agité, e:** geschüttelt, getrieben, gedreht werden. • 22 **lunatique:** launisch, launenhaft. • 23 **con comme la lune** (loc.): dumm wie Brot.

j'étais plutôt d'accord. Mais je suis d'accord aussi avec l'autre définition: *qui a l'humeur changeante, déconcertante / voir: capricieux, fantasque, versatile.*

Pourtant c'est sûrement grâce à lui que j'ai appris le plus de choses, avant Margueritte. Il a beaucoup lu, Landremont. Chez lui, c'est plein de livres. Pas seulement dans les chiottes, et pas seulement des revues.

Il pourrait en remontrer à Jacques Devallée. Et peut-être au maire, qui sait?

2f. **déconcertant, e:** verwirrend, beunruhigend. • 3 **capricieux, -euse; fantasque; versatile:** launisch, launenhaft. • 7 **les chiottes** (f.; pl.!; pop.): Klo, ‚Scheißhaus'. • **la revue:** Magazin, Zeitschrift. • 8 **en remontrer à qn:** jdm. seine Überlegenheit zeigen, jdm. eine Lektion verpassen.

Landremont, c'est un petit nerveux aux bras maigres. Il est chauve du front et poilu sur les bras. Un poil touffu, ni blanc, ni jaune.

Sa pauvre femme est partie d'un cancer des ovaires, 5 quelle saloperie … Depuis, il soigne son chagrin en se flinguant le foie, mais de façon sournoise, en hypocrite. Avec nous, il boit juste un demi, un petit blanc, une mauresque, deux trois jaunes, histoire de dire.

Il fait même des réflexions, du genre, Tiens?! 10 Quelle coïncidence!

N'empêche, tout le monde sait bien à quoi s'en tenir, depuis la panne de Marco.

Un soir, Marco était invité à manger chez sa sœur et son beau-frère. Au moment de partir, sa Mercedes le 15 laisse en rade. Marco est allé taper à la porte de Landremont, pendant dix minutes, avant que l'autre

2 **chauve:** kahlköpfig. • **poilu, e:** behaart. • **le poil:** hier: Haarwuchs, Haarstruktur. • 3 **touffu, e:** buschig, üppig. • 4 **partir** (fig.): sterben, dahinscheiden. • **un ovaire:** Eierstock. • 5 **la saloperie** (fam.): Dreck, Schweinerei; hier: verdammte Krankheit, ‚Seuche'. • **soigner qc:** etwas pflegen, kurieren. • 6 **flinguer** (fam.): abknallen, erschießen; hier (fam.): zerstören. • **le foie:** Leber. • **sournois, e:** hinterhältig. • 6f. **un/une hypocrite:** Heuchler(in), Scheinheilige(r) (*hypocrite:* scheinheilig). • 8 **la mauresque:** Maurin; hier (arg.): Mischung aus Pastis und Mandel-Orangenblüten-Sirup. • **le jaune** (fam.): *le vin jaune:* Vin Jaune, Weinspezialität aus dem Weinanbaugebiet Jura; wird aus einer Rebsorte (Savagnin) hergestellt und muss mindestens sechs Jahre reifen. • **histoire de** (+ inf.) (fam.): (nur) um zu … • 11f. **à quoi s'en tenir:** woran man ist. • 14 **le beau-frère:** Schwager. • 15 **laisser qn en rade** (fam.): jdn. im Stich lassen (*la rade:* Reede).

vienne ouvrir. Il a insisté parce qu'il voyait de la lumière et qu'il entendait la télé. Étant donné qu'ils sont voisins, il savait bien que Landremont était chez lui.

Tout ça pour dire qu'à la fin, l'autre a quand même fini par lui ouvrir …

Marco nous a tout raconté, le lendemain.

– Putain, les gars, hier soir, j'ai cru voir un zombie! Landremont, il s'en tenait une! … Je lui ai dit qu'il fallait absolument qu'il me dépanne, que j'avais un besoin urgent de ma bagnole, et pas moyen de démarrer. Que c'était peut-être une bielle ou un joint de culasse, ou peut-être autre chose, vu que j'y connais rien. Et vous savez ce qu'il m'a répondu?

On a dit non.

C'était vrai, on ne savait pas.

– Il m'a répondu: «Tu me fais chier, va voir un garagiste!»

Et là, bien sûr, on a hoché la tête. Parce que Landremont, c'est le seul garagiste, par ici.

Marco a ajouté, J'ai jamais vu un gonze dans un état pareil, jamais! Et pourtant, moi aussi, j'en ai pris des sévères, hein, vous êtes témoins?

7 **putain!** (pop.): verdammt!, verflucht nochmal! • **les gars!:** Jungs! (*le gars*, fam.: Kerl, Typ, Junge). • 8 **s'en tenir une** (fam.): etwa: einen in der Krone haben. • 9 **dépanner qn:** jdn. abschleppen; hier (fam.): jdm. aus der Patsche helfen, unter die Arme greifen. • 10 **pas moyen de faire qc** (fam.): *il n'y a pas moyen de faire qc:* (es ist) unmöglich etwas zu tun. • 11 **la bielle:** Pleuelstange, Pleuellager. • **le joint:** Dichtung (*joindre:* zusammenfügen; falten). • **la culasse:** Zylinderkopf. • 12 **vu que** (+ ind.): da, nachdem. • 16f. **le garagiste:** Automechaniker, Kfz-Mechaniker. • 20 **le gonze / la gonzesse** (fam.): Typ / Tussi, ‚Tante'. • 21f. **en prendre des sévères (cuites)** (fam.): sich ganz schön volllaufen lassen (*la cuite*, fam.: Rausch).

On a fait, Oh là oui! …

– Attendez, c'est pas fini! Il était tellement bourré qu'à un moment, il me dit, comme ça: «Tu m'excuses, Marco, je vais pisser.» Moi, je réponds: «OK, vas-y, pas de problème.» Mais lui, il reste là, sans bouger, à me tenir la porte. Et vous savez pas le plus beau?

On a dit, Quoi?

– Il s'est pissé dessus! Il est resté là, raide comme la justice, avec un air de réfléchir, en se pissant dessus, putain! …

On a fait, Oh?!

Michel a demandé:

– T'as fait quoi?

– Qu'est-ce que tu voulais que je fasse? J'ai dit bonsoir, je suis rentré chez moi. Après, j'ai appelé mon beau-frère pour qu'il passe me prendre.

On a demandé, Et ta bagnole?

– Bah, une connerie du circuit électrique, c'est tout.

C'est depuis ce jour-là qu'on sait que Landremont a des soirées pénibles.

2 **être bourré, e** (fam.): betrunken, besoffen sein. • 8f. **raide comme la justice** (fam.): steifbeinig, hölzern wie Justitia. • 16 **passer:** hier: vorbeikommen. • 18 **le circuit électrique:** Stromkreis. • 20 **pénible:** anstrengend, schwierig; hart.

Pendant que je montrais les prénoms des oiseaux à Margueritte, je ne pensais pas à tout ça, mais seulement au mot *coïncidence* qui me rappelait les réflexions de Landremont quand je buvais un coup avec Jojo. Ce qui me ramenait justement à Jojo et donc à son anniversaire, la veille au soir (jusqu'à cinq heures du matin, en fait). Et à ma nuit blanche, qui expliquait sûrement que je sois émotif, d'une part, et que j'ai la migraine, de l'autre. Si je ne dors pas mes huit heures, je suis mal toute la journée.

C'est à ce moment-là que cette petite vieille m'a dit:

– Vous avez l'air songeur! …

Moi, comme si on était des intimes, voilà que je m'explique:

– Bah, non! … Juste un peu fatigué. Hier soir j'étais aux quarante ans de mon copain Jojo Zekouc.

Et là, elle fait:

– Oh, vous avez un ami cuisinier?

Ça m'a scié.

– Vous connaissez Jojo? j'ai dit.

– Ah non, je n'ai pas ce privilège! Pourquoi?

– Alors, comment vous pouvez savoir qu'il est cuisinier, si vous ne le connaissez pas?

4 **boire un coup** (fam.): etwas trinken. • 5 **justement:** genau, eben. • 6 **la veille au soir:** am Vorabend, am Abend vorher. • 7 **la nuit blanche:** schlaflose Nacht. • 8 **émotif, -ive:** sensibel, überempfindlich, leicht erregbar. • 12 **songeur, -euse:** nachdenklich. • 13 **un/une intime:** engster Freund, engste Freundin; Vertraute(r). • 19 **scier qn** (fam.): jdm. die Sprache verschlagen, jdn. umhauen (*scier:* sägen).

– Eh bien … à cause de son nom, je suppose! *The cook*, cela signifie bien «le cuisinier», en anglais, non?
– Ah ben oui! j'ai fait. Oui, bien sûr!
Mais j'ai trouvé ça incroyable. Bien sûr je le savais
5 déjà, que ça existait, ce genre de choses.
Quand j'étais petit, le charcutier de la place Jules Ferry s'appelait Duporc. Et le menuisier, en face de la mairie, c'est Laplanche. Pourtant je n'aurais pas imaginé que Jojo aussi, portait un nom qui disait son mé-
10 tier. Et en anglais, en plus.
J'ai dit au revoir à Margueritte. Vu qu'elle était plutôt gentille, j'ai ajouté:
– Margueritte, c'est un joli prénom.
– Pour une pigeonne, en tout cas! … elle a répondu,
15 en souriant.
J'ai rigolé. Elle a repris:
– Et vous, comment vous nommez-vous, si je puis me permettre?
– Germain Chazes …
20 Alors elle, comme si j'étais le maire ou je ne sais pas quoi:
– Eh bien, monsieur Chazes, j'ai été enchantée de faire votre connaissance!
Elle a montré les piafs, elle a ajouté, Merci d'avoir
25 bien voulu me présenter votre famille nombreuse!
Je me suis dit qu'elle était marrante.
On s'est quittés comme ça.

1 **supposer qc:** etwas annehmen. • 7 **le menuisier / la menuisière:** Schreiner(in), Tischler(in). • 14 **la pigeonne:** Täubin (*le pigeon:* Taube). • 16 **reprendre** (intr.): hier: fortfahren. • 17 **se nommer:** heißen. • **je puis** (litt.): *je peux* (wird nur in der 1. Person Singular und in der Frage verwendet).

En sortant du parc, je suis allé direct au restau *Chez Francine*, parce que ça me turlupinait cette histoire de cuisinier en anglais. Le lundi, Jojo Zekouc prend son service un peu plus tôt. Je suis comme chez moi, là-bas. Lorsque je veux le voir, je passe par-derrière.

Je suis tombé sur lui, justement. Il était en train d'éplucher les légumes.

Je lui ai dit, en rigolant, comme ça:

– Eh! Tu sais que tu as bien fait de faire ce boulot, toi, avec le nom de famille que tu as?!

Il a eu l'air surpris, il m'a demandé pourquoi je disais ça. Je n'allais pas insister lourdement, vu que ce n'était pas pour me moquer de lui, mais j'ai répondu que, quand même, c'était plutôt marrant de bosser dans un restau, avec un nom pareil, non?

– … Quoi, mon nom? … Pelletier? … Désolé, je vois pas …

– Qu'est-ce que tu me fais avec ton «Pelletier», toi? j'ai fait. Je ne te parle pas de Pelletier, je te parle de Zekouc. C'est de l'anglais, Zekouc, tu savais pas?

– Ah ouaiiis, OK, je vois, c'est une blague! Sacré Germain! il a dit, en riant.

2 **turlupiner qn** (fam.): jdm. keine Ruhe lassen, jdm. nicht aus dem Kopf gehen. • 3f. **prendre son service:** mit der Arbeit anfangen, seinen Dienst antreten. • 6 **tomber sur qn** (fig.): auf jdn. stoßen, jdm. begegnen; jdn. erwischen. • 6f. **être en train de faire qc:** gerade dabei sein etwas zu tun. • 7 **éplucher:** schälen. • 9 **bien faire de faire qc:** gut daran tun etwas zu tun. • 12 **lourdement:** hier: unnötig. • 14 **bosser** (fam.): arbeiten, schuften. • 21 **sacré, e …!:** verdammte(r) …!

J'ai senti que quelque chose m'échappait, dans cette histoire-là.

Ça m'a un peu gonflé de ne pas bien comprendre. Pourtant, ce n'est pas la première fois: j'ai souvent l'impression que les gens se parlent au-dessus de ma tête (c'est façon de causer: vu ma taille!). Parfois je pige tout. Parfois une partie. Et le plus souvent pas grand-chose.

Quand j'étais gamin, ma mère m'appelait l'imbécile heureux. Mais ce n'était pas vrai, je n'étais pas heureux. Imbécile, ça je veux bien. Mais *heureux*, pas du tout.

Landremont me dit que je suis assez intelligent pour voir à quel point je suis bête, et que tout mon malheur vient de là. Je crois qu'il a raison, même si ce n'est peut-être pas un compliment, quand j'y réfléchis bien. En tout cas, quand je ne comprends pas, je le sens.

Annette dit que c'est pareil pour elle, mais pour le calcul et les maths, seulement.

Ma mère m'appelait aussi le taré, ou l'andouille. Et quand je me suis mis à grandir: le grand con.

Elle n'avait pas vraiment la fibre maternelle, comme dit mon copain Julien.

1 **qc échappe à qn** (fig.): jd. bekommt etwas nicht mit, verpasst etwas. • 3 **gonfler qn** (fam.): jdn. gründlich nerven. • 6 **c'est façon de causer/parler** (fam.): das ist nur rhetorisch gemeint (*causer:* reden, schwatzen). • **vu:** in Anbetracht, angesichts. • 7 **piger qc** (fam.): etwas kapieren, mitkriegen. • 14 **à quel point:** wie (sehr). • 20 **le calcul:** Rechnen (*calculer:* rechnen, berechnen). • 21 **une andouille:** Wurst aus Innereien von Schwein und Kalb; hier (fam.): Rindvieh, Trottel. • 23 **ne pas avoir la fibre maternelle** (fam.): etwa: nicht zur Mutter geboren sein, nicht das Zeug zur Mutter haben (*la fibre:* Gewebe, Faser).

Julien, c'était déjà mon meilleur pote, au primaire. Il me raccompagnait souvent. On jouait ensemble, le soir, à la maison. C'était avant que je quitte ma vieille, que je la laisse à ses albums et à ses découpages, pour me tailler vivre ma vie.

Quand Julien venait, il pouvait le constater lui-même de visu, que ma mère avait pas la fibre … Pourtant, je n'ai jamais manqué de rien, du point de vue nourriture, ou hygiène. Mais il y a des façons de vous servir la soupe, l'assiette, elle ressemble à une écuelle, d'un coup. Et puis les taloches, ça n'a jamais «remis les idées en place». Pour personne. Des idées, on en a, ou pas. Les beignes, ça fait mal, c'est tout ce que ça sait faire.

Et ce qui fait le plus mal, dans tout ça, c'est de te retenir pour ne jamais les rendre, même quand tu fais deux têtes de plus qu'*elle*, que tu pourrais la faire taire d'un taquet, ou bien la fracasser contre l'angle du mur.

En tout cas, s'il y a quelque chose que je ne pourrai pas reprocher à ma mère, c'est d'avoir été fausse. Ça, non! Elle m'a toujours dit ce qu'elle pensait de moi. Ce n'est pas pour autant que j'arrive à m'y faire.

2 **raccompagner:** nach Hause begleiten, zurückbegleiten. • 3 **le vieux / la vieille** (fam.): Alte(r). • 4 **laisser qn à qc:** jdn. einer Sache überlassen. • **le découpage:** Ausschneiden (*découper:* ausschneiden). • 7 **de visu:** mit eigenen Augen, aus eigener Anschauung. • 10 **une écuelle:** Napf, Schale. • 11 ff. **la taloche** (fam.), **la beigne** (fam.): Ohrfeige. • 15 f. **se retenir:** sich zusammenreißen, sich zurückhalten. • 17 **faire taire qn:** jdn. zum Schweigen bringen (*se taire:* schweigen). • 18 **d'un taquet** (fam.): mit einem Schlag, auf der Stelle (*le taquet:* Keil, Riegel, Sperre). • **fracasser:** zertrümmern, zerschellen. • 22 **ce n'est par pour autant que:** dennoch, das heißt noch lange nicht, dass. • **se faire à qc:** mit etwas klarkommen, etwas akzeptieren.

Je n'avais pas résolu cette histoire, quand Landremont est entré, côté salle. Je l'ai sifflé pour qu'il vienne nous voir. Je lui ai dit:

– Tu crois pas, toi, que Jojo a bien fait de faire le cuistot, avec le nom qu'il a?

Landremont m'a regardé d'un air de pas comprendre. Et puis soudain, il a fait:

– Oh! «Pelletier»? C'est pour le pain grillé, que tu dis ça?

Pelletier, ça devait être le nom de sa mère, et Zekouc celui de son père. Comme ça fait un peu arabe – même si c'est de l'anglais, soi-disant – il ne veut peut-être pas mettre tout le monde au courant. Pourtant Francine est pas du tout raciste, Youssef est bien placé pour le savoir.

J'ai répondu à Landremont:

– Non, je te parle de son autre nom. Remarque, Pelletier, c'est marrant aussi. Mais «Zekouc», ça veut dire «le cuisinier», en anglais, au cas où tu le saurais pas!

Je n'étais pas peu fier.

Landremont a éclaté de rire. Il m'a tapé sur l'épaule, il a fait:

1 **résoudre qc:** etwas lösen, eine Lösung für etwas finden. • 2 **sifler qn:** nach jdm. pfeifen. • 5 **le cuistot** (fam.): Koch. • 8 **Pelletier:** französische Marke für Knäcke- und Toastbrot. • 12 **soi-disant:** anscheinend, angeblich. • 13 **mettre qn au courant:** jdn. informieren, unterrichten. • 14f. **(il) est bien placé pour le savoir:** (er) muss es schließlich wissen! • 17 **remarque:** nebenbei bemerkt (*remarquer:* bemerken, wahrnehmen). • 20 **qn n'est pas peu fier/fière:** jd. ist ganz schön stolz. • 21 **éclater de rire** (loc.): in Lachen ausbrechen, loslachen.

– Putain, la couche que tu te tiens, toi! Rien à dire, tu es bien isolé, complètement imperméable! C'est vide à l'intérieur, et ça le restera …

– Arrête! a fait Jojo.

Landremont riait tellement fort qu'il en avait des larmes.

Jojo a toussé pour s'éclaircir la voix. Je sentais qu'il était gêné. Il a pris cet air qu'on prend avec les petits, quand on veut expliquer des choses. Quand on me parle comme ça, ça m'énerve à un point, vous pouvez pas savoir!

– Germain, mon nom c'est Pel-le-tier. Joël Pelletier. On m'appelle «The Cook» parce que je suis cuisinier, justement … Mais c'est rien qu'un surnom, tu vois?

– Ah ouais! j'ai dit. Ouais, bien sûr que je le savais, qu'est-ce que tu crois?

Il m'a fait un clin d'œil.

– Je sais bien que tu le savais. Si j'explique, c'est pour Landremont.

– Ben voyons! a fait l'autre.

Et on a parlé d'autre chose.

Pourtant ça m'est resté en travers, même si je ne le montrais pas.

Ça me fatigue, à force, de regarder la vie sans décodeur, comme dit Marco, quelquefois.

Si être intelligent, c'était qu'une question de volonté, je serais un génie, je peux dire. Parce que j'en ai

1 **la couche:** Schicht. • 2 **imperméable:** undurchlässig. • 7 **s'éclaircir la voix:** den Hals freibekommen. • 8 **gêné, e:** verlegen; betreten. • 14 **le surnom:** Spitzname. • 17 **le clin d'œil** (m.): Augenzwinkern. • 20 **ben voyons!:** ja klar! • 22 **rester en travers à qn** (loc.): jdm. im Hals steckenbleiben. • 26 f. **la volonté:** Wille. • 27 f. **faire des efforts** (m.): sich bemühen, anstrengen.

fait, des efforts. J'en ai fait! Mais c'est comme si je voulais creuser une tranchée avec une cuillère à soupe. Tous les autres ont des tractopelles, et moi je suis là comme un con. C'est le cas de le dire.

2 **creuser:** graben. • **la tranchée:** (Schützen-)Graben, Schneise. • 3 **la tractopelle:** Baggerlader. • 4 **c'est le cas de le dire:** das kann man wohl sagen!, wie treffend!, ganz genau!

Le soir, je ne suis pas resté avec eux. Quand Julien s'est pointé vers dix heures, en disant, On se la fait, la revanche d'hier? j'ai répondu que non, j'avais des courses à faire.

– À dix heures du soir? Tes courses, ce serait pas plutôt … une livraison? a dit Landremont, avec un geste, comme ça, en se remontant les breloques à travers le futal. Si c'est le magasin que je crois, pas de bile à te faire, il reste ouvert toute la nuit! Enfin, tu feras la bise à Annette, hein? …

– Va chier! j'ai répondu.

Il s'est marré. Il a fait le malin, il a dit que j'avais raison, que les filles, c'est comme les bouteilles, il faut pas les lâcher tant qu'on voit pas leur cul!

Des fois, il est vulgaire.

J'ai dit:

– Toi, en tout cas, tu t'y connais bien … en bouteilles!

Jojo a sifflé, depuis la cuisine:

– Ho, hooo! Là, Germain, tu marques un point! Et un beau même!

– Comme il t'a mouché, sur ce coup! a ajouté Marco, en se tournant vers Landremont.

2 **se pointer** (fam.): aufkreuzen. • 7 **remonter:** hochziehen, hochkrempeln. • **les breloques** (f.): Armbandanhänger; hier (vulg.): ‚Eier', ‚Kronjuwelen'. • 8 **le futal** (fam.): Hose. • 8f. **se faire de la bile:** sich Sorgen machen (*la bile:* Galle). • 11 **va chier!** (fam.): verpiss dich! • 15 **des fois** (fam.): manchmal. • 17 **s'y connaître:** sich auskennen. • 19 **marquer un point:** einen Punkt machen, gewinnen. • 21 **moucher qn** (fam.): es jdm. zeigen, jdn. zusammenstauchen (*se moucher:* sich schnäuzen). • **sur ce coup:** sofort, Schlag auf Schlag.

L'autre a juste haussé les épaules, mais il était vexé, et ça m'a fait plaisir.

Francine était en train d'essuyer le comptoir, elle a rigolé, elle a dit:

5 – Qu'est-ce que vous croyez? Germain, c'est le plus malin de vous quatre! Et c'est le plus gentil, en plus! Hein, Germain? Tu t'en fous, des jaloux!

J'ai dit oui, je lui ai fait la bise. Francine prend toujours ma défense, je crois qu'elle m'aime bien. Je crois 10 même un peu plus, mais pour le cas où je me tromperais, je ne me risque pas à aller vérifier par mes propres moyens. Et puis Youss', c'est un brave type, je ne vais pas lui faire un enfant dans le dos si je puis me permettre, question de bonnes mœurs.

15 En plus, pour mon goût personnel, je la trouve trop vieille.

Je suis allé chez Annette, bien sûr. Pas seulement pour lui faire des choses. Annette, elle me repose. C'est façon de parler: quand on se voit, c'est rarement pour se 20 tourner les pouces.

La première fois, elle et moi, je m'en souviens: c'était après la fête, au 1er Mai. On avait dansé tous les deux, le temps a viré à l'orage. Il s'est mis à tomber

1 **hausser les épaules** (f.): die Schultern zucken. • 8f. **prendre la défense de qn:** jdn. verteidigen. • 11 **se risquer à faire qc:** wagen etwas zu tun. • 11f. **par ses propres moyens:** selbst (*le moyen:* Mittel, Weg, Möglichkeit). • 12 **brave:** mutig, anständig, gut. • 14 **les mœurs** (f.; pl.!): Sitten. • 18 **reposer qn:** jdm. Erholung, Entspannung bringen (*le repos:* Ruhepause, Entspannung). • 19f. **se tourner les pouces** (fam.): Däumchen drehen (*le pouce:* Daumen). • 22 **le 1er mai:** Tag der Arbeit. • 23 **virer à qc:** zu etwas umschlagen. • 23f. **tomber des seaux** (loc.): wie aus Kübeln regnen (*le seau:* Kübel, Eimer).

des seaux. Le vent s'est levé en rafales, la température a chuté d'un seul coup. Annette avait garé sa bagnole à côté de la place, elle nous a proposé de nous raccompagner. On a dit oui. Vu le temps, on n'allait pas refuser un taxi! Et c'était plus prudent, vu l'état de Marco qui était saoul comme un âne.

On a laissé Marco et Landremont en premier, après la sortie du village. Ensuite on a fait demi-tour, pour déposer Julien et sa copine Lætitia, qui n'est plus du tout sa copine à cette heure, mais il n'a pas perdu au change, avec Céline. Parce que l'autre, c'était quand même une belle salope. On peut le dire, il y a prescription.

Enfin on s'est trouvés devant chez moi. Là, Annette m'a dit:

– Tu ne prends jamais l'eau, avec un temps pareil, toi, dans ta caravane?

– Non, jamais. Par contre je vais me peler le jonc, cette nuit, ça c'est sûr! Mon radiateur est tombé en carafe, et je n'ai pas pensé à m'en racheter un autre. En mai, tu parles! …

– Tu veux dormir chez moi? elle a dit.

Et vu qu'elle me demandait ça en posant sa main

1 **se lever:** hier: zunehmen, stärker werden. • **la rafale:** Böe. • 2 **chuter:** sinken, fallen, stürzen (*la chute:* Fall, Sturz). • 6 **saoul comme un âne** (loc.): voll wie eine Haubitze (*saoul, e*, auch: *soûl, e*, fam.: ‚blau', betrunken; *un âne:* Esel). • 7 **laisser qn:** hier (fam.): jdn. absetzen, aussteigen lassen. • 8 **faire demi-tour** (m.): umdrehen. • 9 **déposer qn:** jdn. absetzen. • 10f. **ne pas perdre au change:** einen guten Tausch machen. • 12 **le salaud / la salope** (pop.): Dreckskerl, Schlampe. • 12f. **la prescription** (jur.): Verjährung. • 16 **prendre l'eau** (f.; fig.): nass werden. • 18 **se peler le jonc** (fam.): sich einen abfrieren (*le jonc:* Binse). • 19f. **tomber en carafe** (f.; fam.): defekt sein, den Geist aufgeben. • 21 **tu parles!** (fam.): von wegen!; hier etwa: na super!

sur ma cuisse, et que les slows m'avaient chauffé à blanc, j'ai dit oui. Vous auriez fait quoi?

Je n'y étais jamais allé, chez Annette. J'ai trouvé ça joliment décoré, mais j'étais pas venu pour faire la vi-
5 site. Annette nous a fait du café, elle est venue s'asseoir près de moi. Je me demandais comment j'allais amener mon affaire, mais c'est elle qui a pris les devants. Ça ne m'a même pas choqué. Pourtant je n'aime pas trop ça, les filles qui vous sautent dessus en
10 guise de bonjour. C'est pas très féminin, je trouve. Ceci dit, c'est pratique, il faut bien l'avouer. Enfin, c'était mon opinion, à l'époque. J'étais encore brut de décoffrage. Il y a eu du travail, depuis. Je ne vois plus les choses comme avant, pour le sexe non plus. Mon cer-
15 veau est en haut, mes burnes sont en bas, et je ne confonds plus entre les deux étages.

Annette, elle n'est pas très grande, elle paraît toute fine. Elle ne fait pas ses trente-six ans. C'est idiot, j'avais peur de lui faire du mal. Il faut avouer que j'en-
20 combre. Je me demandais si je n'allais pas l'étouffer, en me couchant sur elle, ou bien si elle aurait assez de place pour me prendre, à l'intérieur, si je n'allais pas la déchirer, je sais pas. Enfin, des conneries, quoi,

1 **la cuisse:** (Ober-)Schenkel. • **le slow** (angl.): Stehblues. • 1 f. **chauffer qn à blanc** (fam.): jdn. aufheizen. • 7 **amener son affaire** (f.; fam.): sich anstellen. • 7 f. **prendre les devants** (m.): die Initiative ergreifen. • 9 **sauter sur qn** (fam.): jdm. um den Hals fallen. • 9 f. **en guise de:** als; anstatt (*la guise*, [litt.]: Art und Weise, Fasson). • 12 f. **être brut, e de décoffrage:** grob, unbearbeitet sein; hier (fam.): ein ungehobelter Klotz sein (*le décoffrage:* Ausschalen). • 18 **fin, e:** fein; dünn. • **ne pas faire ses trente-six ans:** nicht so (alt) aussehen wie 36. • 19 f. **encombrer:** Platz nehmen, sperrig sein; belasten. • 20 **étouffer qn:** jdn. ersticken.

mais préoccupantes. Réfléchir, ça nuit aux performances.

Il y a des moments, il vaut mieux rester spontané.

Elle est bizarrement foutue, Annette: elle a une taille menue, j'en ferais le tour d'une main, et des seins gonflés à l'azote, tout ronds et durs, qui te prennent la paume en entier, et qui résistent à la pression, vous pouvez me croire. Et puis des jambes longues pour sa taille, un petit cul bien pommé comme un chou. Elle n'est peut-être pas jolie, avec ses yeux cernés, sa figure maigre et son regard de chien battu, mais elle a quelque chose. Landremont dit qu'elle a un cul à gagner de l'or mais qu'elle a une gueule à le perdre. Il est mal placé pour parler, parce que sa femme, comme grande jument, elle se posait là. Paix à son âme, que le Seigneur la garde dans Sa sainte proximité, c'était quand même une bien brave femme.

Tout ça pour dire que ce soir-là, Annette a pris l'initiative et moi je ne l'ai pas étouffée, ni aplatie, ni quoi que ce soit d'autre du genre accidentel. Quand je me suis retrouvé en elle, c'était que du coton, de la soie et des plumes. Chaud et doux, et si bien ajusté tout autour que j'y aurais volontiers passé ma vie. Un peu

1 **préoccupant, e:** besorgniserregend, beunruhigend. • **nuire à qc:** einer Sache schaden. • 4 **être foutu, e** (fam.): gebaut sein. • 5 **menu, e:** schmal, zart. • **faire le tour d'une main de qc:** etwas mit einer Hand ganz umfassen können. • 6 **les seins** (m.): Brüste, Busen. • **gonflé, e:** aufgepumpt; geschwollen (*gonfler:* aufpumpen). • **l'azote** (m.): Stickstoff. • 7 **prendre qc:** hier: etwas ganz einnehmen. • **la paume:** Handinnenfläche, Handteller. • 7 f. **la pression:** Druck. • 9 **pommé, e:** rund und fest, drall. • 11 **cerné, e:** mit Augenringen. • 15 **la jument:** Stute. • 15 f. **paix à son âme** (f.; loc.): Gott hab sie/ihn selig. • 19 **aplatir:** plattdrücken, zerquetschen. • 22 **être ajusté, e:** angepasst sein.

plus tard, on a recommencé. Elle me mangeait des yeux. Elle était câline avec moi, tellement occupée à me faire plaisir. Elle m'a dit qu'elle rêvait de moi depuis longtemps. Ça fait drôle, quand une fille te dit ça, surtout quand elle le dit avec des yeux mouillés et la voix qui roucoule, et sa main qui s'occupe de toi en douceur.

C'était presque gênant. Mais agréable, aussi.

2 **câlin, e:** zärtlich, liebevoll, anschmiegsam (*le câlin:* Zärtlichkeit, Streicheleinheit). • 6 **roucouler:** gurren, säuseln.

Quand j'ai connu Annette, je ne m'étais jamais vraiment occupé d'une femme. Les filles, je les voyais soit comme des copines et je les touche pas, soit comme des Kleenex et celles-là, je m'en fous. Je n'en tire pas gloire, je n'en ai pas honte non plus, c'était comme ça, c'est tout. Il est fini et bien fini, ce Germain-là.

J'ai changé, maintenant. Depuis que j'ai rencontré Margueritte, j'entretiens mon intelligence. Je me pose des questions sur la vie, et puis j'essaie de me répondre, en réfléchissant, sans tricher. Je pense à l'existence. À ce qu'on m'a donné au départ, à tout ce que j'ai dû dégoter par moi-même, après coup.

Dans les mots que j'ai découverts, il y en a deux spéciaux que j'ai bien retenus: *inné, acquis*.

Pour en donner une définition sans relire le dictionnaire, je serais pas bien fort, mais je comprends de quoi il est question. L'inné, l'homme l'a quand il naît et c'est facile à retenir, puisqu'on entend presque la même chose. L'acquis, c'est ce qu'on s'échine à récol-

4 **le Kleenex** (angl.): Papiertaschentuch (Produkt- und Markenname; wie deutsch *Tempo*). • **se foutre de qn/qc** (fam.): auf jdn. / etwas pfeifen. • 4f. **tirer gloire de qc:** sich mit etwas brüsten, rühmen (*la gloire:* Ruhm). • 5 **avoir honte** (f.) **de qc:** sich für etwas schämen. • 8 **entretenir qc:** etwas pflegen (*un entretien:* Instandhaltung; Pflege). • 8f. **se poser des questions** (f.): sich Fragen stellen. • 10 **tricher:** schummeln, mogeln, betrügen. • 12 **dégoter** (fam.): auftreiben, ergattern; herausfinden. • **après coup** (m.): hinterher. • 14 **inné, e:** angeboren. • **acquis, e:** erworben, gewonnen (*acquérir:* erwerben, gewinnen). • 19 **s'échiner:** sich abmühen, abrackern. • 19f. **récolter:** hier: sich aneignen.

ter le reste de sa vie. Tout ce qu'on doit aller emprunter un peu partout, aux autres. Mais à qui?

Par exemple, les sentiments, ce n'est pas inné, pas du tout. Bouffer, boire, ça oui: c'est de l'instinct. Si tu ne le fais pas, tu crèves. Mais les sentiments, tu peux les garder en option, ou même vivre sans. Je le sais. Tu vis mal, comme un con, guère plus conscient qu'une bête, mais tu peux exister longtemps, par contre. Très longtemps. Je ne veux pas toujours me prendre pour exemple mais au départ, moi, je n'ai pas reçu grand-chose, pour ce qui est de l'affection.

Dans une famille normale – à ce que j'ai pu observer – ça chiale quelquefois, ça crie, mais il y a des moments de tendresse, on t'ébouriffe les cheveux, on dit, Ah celui-là, bon sang, c'est tout le portrait de son père! Et on le dit d'un air fâché pour rire, parce qu'on est fier de savoir d'où tu viens. Je le vois bien, quand Marco parle de sa fille, ou Julien de ses deux garçons.

Moi, je ne viens de nulle part, c'est mon problème. Bien sûr, je suis sorti d'une paire de burnes, pas moyen de faire autrement. Et d'un minou de bonne femme aussi, pareil que le monde entier ici-bas. Seulement, moi, à peine j'étais né que tout le bon était déjà fini, terminé. C'est pour ça que je dis, Les sentiments c'est de l'acquis, il faut apprendre. Si j'ai mis plus de

4 **bouffer** (fam.): essen, fressen, futtern (*la bouffe*, fam.: Essen; pop.: Fressen). • 7 **guère:** kaum. • **être conscient, e de qc:** sich einer Sache bewusst sein (*la conscience:* Bewusstsein; Gewissen). • 14 **ébouriffer:** zerzausen, durcheinanderbringen. • 15f. **être tout le portrait de son père** (loc.): ganz der Vater sein. • 22 **le minou** (fam.): Miezekatze; hier (pop.): Pussy, ‚Muschi'. • 22f. **la bonne femme** (fam.): Frau, Alte. • 23 **ici-bas:** hier unten, hier auf Erden, im Diesseits.

temps qu'un autre, c'est que je n'ai pas eu de modèle au départ. J'ai dû tout découvrir tout seul. Et c'est pareil pour la parole, que j'ai surtout apprise sur les chantiers et dans les bars, ce qui fait que je m'explique mal – avec des mots grossiers qui salissent les choses – et même pas toujours dans l'ordre, comme font les gens cultivés: petit *a*, petit *b*, petit *c*.

Landremont, Devallée, ou le maire, qui est prof dans un lycée, quand ils parlent, on voit qu'ils ont chopé une idée par un bout, fermement. Ils n'ont plus qu'à l'enrouler, pareil qu'un moulinet, et la suivre sans la lâcher, jusqu'à ce qu'ils soient à l'autre bout. Ne pas perdre le fil, ça s'appelle. Tu as beau intervenir, leur couper la parole, leur faire, Mais à ce qu'on m'a dit ..., ou, Il paraîtrait que ..., rien à foutre, ils tiennent leur cap!

Moi, je me paume. Je pars d'un truc, ça me fait arriver à un autre, et un autre, et un autre, et lorsque j'ai fini, je ne sais plus du tout de quoi je vous parlais. Et si quelqu'un me coupe la parole, ça m'emberlificote encore davantage, ça vire au sac de nœuds.

1 **le modèle:** Modell; Vorbild. • 3 **la parole:** hier: Sprache, Sprechen. • 4 **le chantier:** Baustelle. • 5 **grossier, -ière:** grob, primitiv, plump. • 9f. **choper qn/qc** (pop.): jdn./etwas schnappen, sich etwas einfangen. • 10 **fermement:** fest. • 11 **enrouler qc:** etwas aufwickeln. • **le moulinet:** Angelrolle. • 14 **couper la parole à qn** (loc.): jdn. unterbrechen. • **à ce qu'on m'a dit:** soweit ich weiß ... • 15 **il paraît que ...:** anscheinend ... • **foutre qc** (fam.): etwas tun, machen. • 15f. **tenir le cap:** etwa: nicht von seinem Vorhaben abweichen (*le cap:* Kap; Kurs). • 17 **se paumer** (fam.): sich verlaufen, verirren; nichts mehr verstehen. • 20 **emberlificoter qn** (fam.): jdn. durcheinanderbringen (*s'emberlificoter*, fam.: sich verheddern). • 21 **virer à qc:** zu etwas werden, umschwenken. • **le sac de nœuds** (fam.): Wirrwarr, Chaos, Durcheinander (*le nœud:* Knoten).

Les gens instruits, lorsque ça leur arrive de se perdre dans leur discours, ils deviennent tout pâles. Ils se posent un index sur la bouche, ils froncent les sourcils, ils disent, Ah ça! Bon sang, mais où est-ce que
5 j'en étais? De quoi est-ce que je vous parlais?

Et tout autour, les gens ont l'air inquiet, ils arrêtent de respirer, comme si c'était grave ...

La différence entre eux et moi, c'est que moi, si je perds le fil, tout le monde s'en tape.

10 Moi y compris et même le premier.

1 **instruit, e:** gebildet (*une instruction:* Bildung, Wissen). • 2 **pâle:** blass. • 3 **un index:** Zeigefinger. • 3f. **froncer les sourcils:** die Stirn runzeln (*le sourcil:* Augenbraue). • 9 **se taper de qc** (fam.): auf etwas pfeifen. • 10 **y compris:** ebenfalls, inklusive.

Avant j'étais presque illettré – *Qui ne sait ni lire, ni écrire. Voir: ignorant* –, j'en ai pas honte. La lecture, c'est de l'acquis. Pas besoin d'aller la chercher: quand tu es petit, on t'envoie à l'école pour te gaver de force, comme on fait pour les oies.

Il y en a qui le font proprement, ils ont le doigté, la patience, tout ça. Ils t'emplissent en douceur la mémoire, jusqu'à ce que tu sois bondé comme un œuf. Mais avec d'autres, gobe ou crève! Ils te fourrent ça dans la tête sans aller vérifier où ça va se loger. Résultat, le moindre petit grain de savoir qui te reste en travers, ça t'étouffe. T'as plus qu'une envie: le recracher et puis rester à jeun, plutôt que d'être mal.

Mon instituteur, monsieur Bayle, c'était un gaveur à la con. Il me fichait une trouille terrible. Je me serais pissé dessus, quand il me regardait, certains jours. Rien que dans sa façon de prononcer mon nom, *Châzes!* Je savais qu'il ne m'aimait pas. Il avait sûre-

1 **être illettré, e:** ein(e) Analphabet(in) sein. • 4 **gaver:** stopfen; hier (fam.): mit Wissen vollstopfen, Wissen eintrichtern. • **de force** (fam.): mit Gewalt, auf Teufel komm raus. • 5 **une oie:** Gans. • 6 **le doigté:** Fingerspitzengefühl. • 7 **emplir** (litt.): füllen. • 8 **bondé, e:** überfüllt, proppenvoll; hier etwa: prall, rund. • 9 **gober qc:** etwas ausschlürfen; hier (fam.): etwas schlucken. • 9 f. **fourrer dans qc:** in etwas stecken. • 10 **se loger:** sich festsetzen, einnisten. • 11 **le/la moindre ...:** der / die / das geringste, mindeste ... • **le grain:** Korn, Körnchen. • 12 **recracher qc:** etwas wieder ausspucken. • 13 **à jeun** (loc.): nüchtern; hier (fig.): naiv, unbedarft. • 14 **le gaveur / la gaveuse:** Gänsemäster(in); hier (fam.): Pauker(in). • 14 f. **à la con** (fam.): blöd, dumm. • 15 **ficher la trouille à qn** (fam.): jdm. Angst machen, einjagen (*la trouille*, fam.: Schiss, Angst).

ment ses raisons. Pour un maître, c'est casse-couilles, un élève abruti. Je peux comprendre ça. Alors, pour se passer les nerfs, il me faisait venir au tableau tous les jours. Je devais réciter mes leçons.

5 Les réciter devant les lèche-culs qui se poussaient du coude et se foutaient de moi en se cachant la bouche de leur main, et puis les nuls, contents de voir que j'étais pire. Monsieur Bayle ne m'aidait pas, il m'enfonçait bien, au contraire. Un enfoiré de pre-
10 mière, c'était. Je l'entends toujours, sans forcer: j'ai sa voix chevillée dans le creux de l'oreille.

– Alors, Châzes, on oublie ses phrâses?

– Eh bien, Châzes? On manque de bâses?

– Je sens que, ce matin, notre ami Châzes est dans
15 la vâse!

Ça faisait marrer les copains.

Ensuite, il ajoutait:

– Alors, Châzes? J'attends! J'attends, nous attendons, vos camarades attendent …

20 Il tirait juste un peu sa chaise, pour mieux se tour-

1 **casse-couille** (pop.): nervig, nervtötend (*les couilles*, f.; vulg.: ‚Eier'). • 2 **abruti, e:** benommen; hier (fam.): blöd, dumm (*un abruti / une abrutie:* Dummkopf, blöde Kuh). • 3 **se passer les nerfs** (m.; fam.): sich abreagieren. • 4 **réciter:** aufsagen, vortragen. • 5 **le/la lèche-cul** (vulg.): Arschkriecher(in). • 6 **se foutre de qn:** auf jdn. pfeifen; jdn. auslachen, verarschen. • 7 **le nul / la nulle:** Null, Niete. • 9 **enfoncer qn** (fam.): jdn. niedermachen (*enfoncer:* hineindrücken, hineinstecken). • **un enfoiré / une enfoirée** (vulg.): Idiot(in), Arschloch. • 9 f. **de première:** erstklassig, erstrangig. • 10 **forcer:** hier: sich zwingen, besonders auf etwas konzentrieren. • 11 **cheviller:** verzapfen; hier: verankern (*la cheville:* Zapfen, Dübel, Haken). • **le creux:** Höhle, Loch (*creux, creuse:* hohl, eingesunken). • 12 ff. **Châze, phrâses, bâses, vâses:** durch den Akzent wird der Buchstabe besonders betont, was in diesem Kontext das verächtliche Verhalten des Lehrers verstärkt.

ner face à moi. Il se croisait les bras, et il me regardait en hochant la tête. Il tapotait du bout de son pied, par terre, sans rien dire. Tap, tap, tap … Moi, je n'entendais plus que ce bruit-là, et puis celui de la pendule, en face, tic tac, tic tac. Des fois, ça durait si longtemps que tous les autres finissaient par se taire.

Tout devenait tellement silencieux autour du tic-et-tac et du tap des semelles, que j'entendais mon cœur me battre dans la tête. À la fin, il soupirait, il me renvoyait à ma place, d'un geste. Il disait:

– Décidément, mon pauvre Châzes, je crois bien qu'il vous manque une câse!

Les autres éclataient tous de rire, ça les détendait un bon coup. Et moi, j'aurais voulu mourir. Ou le tuer, si j'avais pu. Le tuer, ç'aurait été mieux. Lui écraser la tête à grands coups de godasse, à ce salaud, comme un putain de cafard plein de craie qu'il était. Le soir, quand j'étais dans mon lit, je repensais à mes envies de meurtres, c'était le seul moment où je me sentais bien. Si je suis pas devenu un violent – pas plus que le raisonnable, en tout cas – c'est pas à lui que je le dois. Des fois, je me dis que les dingues, on a dû les dresser à devenir méchants à coups de vacheries. Un

1 **croiser:** überkreuzen. • 2 **tapoter qc:** gegen etwas klopfen. • 4 **la pendule:** Wanduhr. • 6 **finir par faire qc:** schließlich etwas tun. • 8 **la semelle:** Sohle. • 9 **soupirer:** seufzen (*le soupir:* Seufzer, Seufzen). • 11 **décidément:** also wirklich. • 12 **il manque une case à qn** (loc.): jd. hat nicht alle Tassen im Schrank (*la case,* fam.: ‚Kästchen'). • 14 **un bon coup:** ganz schön, richtig. • 15 **écraser:** zerdrücken, zerquetschen. • 16 **la godasse** (pop.): Schuh, Treter. • 17 **le cafard:** (Küchen-)Schabe. • 22 **devoir qc à qn:** jdm. etwas schulden; jdm. etwas verdanken. • **le/la dingue** (fam.): Bekloppte(r), Verrückte(r) (*dingue,* fam.: verrückt). • 23 **à coup** (m.) **de:** mit Hilfe von. • **la vacherie** (fam.): Gemeinheit.

clébard, si vous le voulez le rendre con, suffit de le tabasser sans raison. Un homme, c'est pareil, à part que c'est plus simple. Pas besoin de lui cogner dessus, même pas. Se foutre de sa gueule, ça suffit.

5 Au primaire, il y a des gamins qui apprennent leurs tables et leurs conjugaisons. Moi, j'ai appris des choses plus utiles: les plus forts aiment bien marcher sur la gueule des autres, et s'essuyer les pieds au passage, comme on fait sur les paillassons. C'était ça, mon ac-
10 quis, dans mes années d'école. Une sacrée leçon. Tout ça à cause d'un salopard qui n'aimait pas les gosses. Qui ne m'aimait pas moi, en tout cas. Peut-être qu'avec un autre maître ça n'aurait pas été pareil, ma vie? Comment savoir? Je dis pas que je suis crétin à
15 cause de ce type, je l'étais déjà, j'en suis sûr. Mais quand même, il m'a bien savonné la planche, celui-là. Je peux pas m'empêcher de penser que d'autres y auraient vissé deux, trois prises, au contraire. Pour que je puisse m'agripper, au lieu de dévaler jusqu'au
20 fin fond du trou. Seulement, pas de cul, il n'y avait

1 **le clébard, le clebs** (fam.): Hund, Köter. • **suffir:** (aus)reichen. • 2 **tabasser** (fam.): schlagen, verprügeln. • 3 **cogner sur qn** (fam.): jdn. schlagen, verdreschen. • 4 **se foutre de la gueule de qn** (fam.): sich über jdn. lustig machen, jdn. verarschen. • 6 **la table (de multiplication):** das Einmaleins. • 8 **au passage** (m.): beim Vorbeigehen. • 9 **le paillasson:** Fußabtreter, Fußmatte (*la paille:* Stroh). • 10 **sacré, e** (fam.): ganz schön, verdammte(r, s). • 11 **le salopard** (pop.): Schwein, Dreckskerl. • 14 **crétin, e** (fam.): blöd, dumm (*le crétin / la crétine:* Dummkopf, blöde Kuh). • 16 **savonner la planche à qn** (fam.): etwa: jdm. das Leben schwer machen (*savonner:* einseifen, mit Seife beschmieren). • 17 **ne pouvoir s'empêcher de faire qc:** nicht anders können als etwas zu tun. • 18 **visser:** schrauben. • **la prise:** Griff, Halt. • 19 **s'agripper:** sich festklammern. • **dévaler:** hinunterstürzen. • 20 **le fin fond de qc:** der hinterste Winkel einer Sache. • **pas de cul!** (fam.): Pech gehabt!

que deux classes, dans l'école, à l'époque. La classe des petits et la classe des grands. Bayle, on se l'est farci entre huit et dix ans. (Pour moi, onze.) Je ne suis pas le seul à avoir dégusté, je sais bien. Il en a bousillé
5 quelques-uns, le vieux Bayle, avec sa méchanceté, sa bêtise. Tout confit de savoir, il était. À nous regarder de haut, ce qui n'était pas dur, vu qu'on était des mioches et qu'on ne savait rien. Et lui, au lieu de s'en féliciter, d'être content de tout ce qu'il allait nous ap-
10 prendre, il humiliait les faibles, les mauvais, tous ceux qui avaient besoin de lui, vraiment.

Être con à ce point, c'est du talent, je trouve.

1 **à l'époque:** damals, zur damaligen Zeit (*une époque:* Zeitalter, Epoche). • 4 **déguster:** genießen; hier (fam.): leiden, durchmachen. • **bousiller qn** (fam.): jdn. abmurksen; hier: jdm. das Leben zur Hölle machen. • 6 **confit, e:** kandiert; eingelegt; hier etwa: voll mit. • 8 **le/la mioche** (fam.): Kind, Knirps. • 8 f. **se féliciter de qc:** sich loben, sich zu etwas gratulieren (können). • 10 **humilier:** demütigen. • 12 **à ce point(-là):** so sehr, derart, in diesem Maße.

On dira bien ce qu'on voudra, le bonheur, pour un gosse, ce n'est pas d'aller à l'école. Ceux qui racontent ça n'aiment pas les gamins, ou se souviennent pas qu'ils ont été petits.

5 Les enfants, ce qu'ils veulent, c'est pêcher le goujon et faire des barrages en gravier sur la voie, pour faire dérailler les trains de marchandises – même si on sait bien que ça ne marche pas. Ou alors escalader la pile du pont depuis la rive (pas possible non plus, à cause 10 du dévers). Sauter du haut du mur du cimetière, mettre le feu au terrain vague, taper aux portes et partir en courant. Faire bouffer des cachous en crottes de biques aux petits. Ce genre de choses, voyez?

Quand on est mioche, on veut être un héros, et c'est 15 tout.

Si les parents ne restent pas derrière, à seriner que l'école c'est important, qu'on est obligé d'y aller, pas le choix, eh bien on n'y va pas – enfin, moi – ou en tout cas, le moins possible.

20 Ma mère n'était pas rigoureuse, pour ça. Elle m'au-

5 **le goujon:** Gründling (Fischart). • 6 **le barrage:** (Straßen-)Sperre; (Stau-)Damm. • **le gravier:** Kies(elstein). • 7 **dérailler:** entgleisen. • **le train de marchandises:** Güterzug (*la marchandise:* Ware). • 8 **escalader qc:** auf etwas klettern. • **la pile:** Pfeiler. • 9 **la rive:** Ufer. • 10 **le dévers:** Hang, Neigung. • **du haut de ...:** von ... herab. • 11 **mettre le feu:** anzünden, Feuer legen. • **le terrain vague:** unbebautes Gelände, Brachland. • 12 **le cachou:** Cachou(bonbon), Katechu(bonbon), Bonbon aus gereinigter Lakritze mit Zucker. • **la crotte:** Kot(haufen). • 13 **la bique** (fam.): Ziege. • 16 **seriner** (fam.): etwas wieder und wieder sagen, eintrichtern.

rait cassé le balai sur la tête si j'avais fait des traces de boue dans l'entrée, mais que je n'apprenne pas à lire ou à écrire, ça, franchement, je crois qu'elle s'en foutait. Quand je rentrais à cinq heures, elle me regardait à peine. Ses premiers mots c'était pour dire:

– T'as pris le pain?

Et les suivants:

– Me laisse pas ta pagaille au milieu! Va ranger ton cartable.

Ça, il ne fallait pas me le demander deux fois. Je jetais mon sac au pied de mon lit, j'oubliais le travail à faire, j'allais jouer avec mes potes, ou bien tout seul.

En grandissant, j'ai commencé à faire l'école buissonnière, de plus en plus souvent. Quand Bayle me demandait où j'étais passé, je répondais des conneries, ma mère était malade et j'étais obligé de lui faire les courses, j'avais perdu ma grand-mère, je m'étais foulé la cheville en courant, je m'étais fait mordre par un chien enragé, on avait dû me montrer au docteur.

Je m'entraînais à mentir en le regardant dans les yeux. C'est plus dur que ça n'en a l'air, quand on n'a que dix ans et qu'on n'est pas bien large encore, au niveau des épaules. Mais ça m'apprenait le courage. C'est important d'en avoir, dans la vie.

De toute façon, Bayle était très content que je feinte. Au moins, je foutais pas le bordel dans sa

2 **la boue:** Dreck, Matsch. • 3 **franchement:** ganz ehrlich. • 8 **la pagaille (la pagaïe)** (fam.): Durcheinander, Chaos. • 13 f. **faire l'école buissonière** (loc.): (die Schule) schwänzen, blau machen. • 15 **être passé:** (gewesen) sein. • 17 **se fouler:** sich verstauchen. • 18 **la cheville:** Knöchel. • 19 **enragé, e:** tollwütig (*la rage:* Tollwut). • 26 **feindre:** vortäuschen, heucheln. • **foutre le bordel** (fam.): ein Chaos anrichten.

classe, et ça lui faisait des vacances de ne pas avoir à gueuler tout le temps, Châzes, pouvez-vous répéter ce que je viens de dire? en sachant à l'avance que je ne pourrais pas. Tout ça pour expliquer qu'à la fin du pri-
5 maire j'étais plus souvent à la pêche que le cul posé sur un banc. Ce qui fait que plus tard, à l'armée, on m'a classé dans les analphabètes, nom dans lequel on entend le mot *bête*, qui résume très bien ce qu'on pensait de moi, en plus poli.

10 À l'époque dont je parlais tout à l'heure, au début d'Annette, tout ça, la vie me passait largement au-dessus. Et ça ne me dérangeait pas. Je ne me posais pas de questions. Je faisais mes affaires au plumard et ailleurs, je tapais des cartons, je me bourrais la gueule à
15 fond tous les samedis soir et puis je refaisais le niveau en semaine, je bossais sur les chantiers quand je manquais d'argent, tout me semblait facile. Entre vivre et comprendre la vie, il n'y a pas vraiment de rapport, vous voyez?
20 C'est pareil que pour les voitures: si on vous demandait de changer le Delco, un cardan, la courroie de distribution – peut-être même seulement de refaire le niveau d'huile – peu importe. Alors, hein? … La plupart des gens qui conduisent, ils n'y comprennent

3 **à l'avance** (f.): im Voraus. • 7 **classer:** hier: zuteilen. • 14 **taper le/des carton(s)** (fam.): Karten spielen. • **se bourrer la gueule** (fam.): sich volllaufen lassen. • 14f. **à fond** (m.; fam.): bis zum Anschlag. • 15 **refaire le niveau** (fam.): wieder auftanken. • 16f. **manquer de qc:** zu wenig von etwas haben. • 17 **sembler:** scheinen. • 21 **le Delco:** Zündverteiler (Produkt- und Markenname). • **le cardan:** Kardan(welle). • 21f. **la courroie de distribution** (f.): Zahnriemen, Steuerriemen. • 23 **peu importe:** (ganz) egal.

rien, ni comment ni pourquoi. Moi, j'étais comme ça avec mon existence. Je tenais le volant, je passais les vitesses, je faisais le plein, mais c'est tout …

Lorsque j'ai rencontré Margueritte, j'ai trouvé ça compliqué, d'apprendre le savoir. Ensuite, intéressant. Et puis flippant, parce que, se mettre à réfléchir, ça revient à donner des lunettes à un myope. Tout semblait bien sympa, tout autour: facile, c'était flou. Et tout d'un coup on voit les fissures, la rouille, les défauts, tout ce qui part en couille. On voit la mort, le fait qu'on va devoir quitter tout ça et même pas forcément d'une façon marrante. On comprend que le temps, ça fait pas que passer: ça nous pousse à crever un peu plus tous les jours, des deux mains dans le dos. Il n'y a pas de pompon à choper pour faire un tour gratuit, sur le manège. On fait son tour de piste et point barre: on s'en va.

Franchement, pour certains, la vie, c'est une belle arnaque.

2 f. **passer les vitesses:** schalten (*la vitesse*, hier: Gang). • 3 **faire le plein** (fam.): volltanken. • 6 **flippant, e** (fam.): beängstigend (*flipper*, fam.: eine Heidenangst haben, bekommen). • **se mettre à faire qc:** anfangen etwas zu tun. • 7 **revenir à:** das gleiche sein, auf dasselbe hinauslaufen wie. • **le/la myope:** Kurzsichtige(r). • 8 **flou, e:** trüb, undurchsichtig, verschwommen. • 9 **la fissure:** Riss, Kratzer. • **la rouille:** Rost. • 9 f. **le défaut:** Fehler. • 10 **partir en couille** (pop.): zerfallen, kaputtgehen. • 11 **le fait:** Tatsache. • 13 **pousser qn à faire qc:** jdn. dazu bringen etwas zu tun. • 15 **le pompon:** Bommel; hier: ein über einem Karussell aufgehängtes Stofftier, dessen Fangen eine kostenlose Extrarunde ermöglicht. • 16 **le manège:** Karussell. • 17 **point barre:** basta!

Margueritte dit que se cultiver, c'est tenter de grimper en haut d'une montagne. Je comprends mieux ça, aujourd'hui. Tant qu'on est dans son pré, on croit tout voir et tout savoir du monde: la prairie, la luzerne et
5 les bouses des vaches (cet exemple est de moi). Un beau matin, on prend son sac à dos, on commence sa marche. Ce qu'on quitte, plus on s'en éloigne et plus ça rétrécit: les vaches deviennent pas plus grosses que des lapins, des fourmis, des chiures de mouches. Et
10 tout le paysage qu'on découvre en montant, au contraire, ça paraît de plus en plus grand. On croyait que le monde s'arrêtait à la colline en face, mais non! Derrière il y en a une autre, et encore une, un peu plus haute, et une autre encore. Et puis plein. Cette
15 vallée où on vivait peinard, c'était qu'une vallée parmi d'autres, même pas la plus grande. C'était le trou du cul du monde, en fait! En marchant, on croise d'autres gens, mais plus on va vers le sommet, moins il y a de monde avec soi, et plus on se les gèle! C'est toujours
20 façon de parler. Une fois qu'on est tout en haut, on est content, on se trouve très fort d'être arrivé au-dessus des autres. On peut regarder loin devant soi. Seule-

1 **se cultiver:** sich (fort)bilden (*cultivé, e:* gebildet; landwirtschaftlich genutzt). • **tenter de faire qc:** versuchen etwas zu tun. • 4 **la prairie:** Wiese. • **la luzerne:** Luzerne, immergrüne winterharte Nutzpflanze. • 5 **la bouse de vache:** Kuhfladen. • 5 f. **un beau matin** (loc.): eines (schönen) Morgens. • 8 **rétrécir:** schrumpfen, kleiner werden. • 9 **la chiure de mouches** (f.): Fliegendreck. • 12 **la colline:** Hügel. • 15 **peinard, e** (fam.): ruhig, ungestört. • 17 **croiser qn:** jdm. begegnen. • 18 **le sommet:** Gipfel. • 19 **se les geler** (fam.): sich den Hintern abfrieren.

ment, au bout d'un moment, on se gaffe d'un truc tout con: c'est qu'on est seul, sans plus personne à qui causer. Tout seul et minuscule.

Et du point de vue du Seigneur, grâce Lui soit rendue, on n'est sûrement pas plus gros, nous non plus, qu'une putain de chiure de mouche.

C'est sans doute à ça qu'elle pense, Margueritte, quand elle dit, Savez-vous, Germain, que la culture isole?

Je crois qu'elle n'a pas tort, et qu'en plus, ça doit foutre méchamment le tournis, de toujours voir la vie en contrebas.

Moralité, je vais m'en tenir à mi-pente, et bien heureux si j'arrive à grimper jusque-là.

1 **au bout de:** nach. • **se gaffer de qc** (fam.): etwas bemerken. • 9 **isoler:** einsam machen. • 11 **foutre le tournis à qn** (fam.): jdm. Schwindel verursachen (*le tournis*, fam.: Drehwurm, Schwindelgefühl). • 12 **en contrebas** (m.): von unten. • 13 **(la) moralité** (loc.): die Moral der Geschichte. • **s'en tenir à qc:** sich an etwas halten, etwas anvisieren. • 13 f. **bien heureux si ...** (loc.): ich kann mich schon glücklich schätzen, wenn ...

Margueritte a fait des études. Pas des petites études de merde genre brevet, que tout le monde a (enfin, pas moi), de vraies études qui durent tellement qu'on les finit quand on est vieux, et qu'on n'a plus le temps
5 d'avoir ses annuités pour prendre sa retraite.

Elle a passé un doctorat, sauf qu'elle n'est pas docteur, elle était dans les plantes. Elle faisait des études de pépins de raisin. Je vois pas trop ce qu'on trouve à chercher là-dessus, vu qu'un pépin, on en a vite fait le
10 tour, quand même. Mais c'était son boulot, il faut pas mépriser.

Il n'y a pas de sots métiers, il n'y a que de la sotte engeance.

Enfin, c'est peut-être pour ça, qu'elle parle toujours
15 de *culture* et de *se cultiver*. Encore des mots qui se disent pareil, mais pour parler de choses différentes. Pour cultiver, tu retournes tes mottes à la bêche, tu traces tes sillons, tu aères ton sol ou tu fais tes semis. Ou alors, pour l'autre culture dont Margueritte parle,

2 **de merde** (f.; pop.): Scheiß…, Dreck(s)… • **le brevet:** Abschlussprüfung des *collège*, entspricht der Mittleren Reife. • 5 **les annuités:** Beitragszeit für die Rente (*une annuité:* Beitragsjahr). • **prendre sa retraite:** in Rente gehen. • 6 **le doctorat:** Promotion, Doktorwürde. • 7 **une étude:** Studie, Untersuchung. • 8 **le pépin:** Kern. • 11 **mépriser:** gering schätzen, verachten. • 12 **sot, te:** dumm, blöd, töricht. • 13 **une engeance:** Gesindel, Sippschaft. • 17 **cultiver:** (das Feld) bestellen, anbauen (*la culture:* Bebauung; Kultur). • **la motte:** (Erd-)Scholle, Klumpen. • **la bêche:** Spaten (*bêcher:* umgraben). • 18 **tracer:** ziehen; zeichnen (*la trace:* Fährte, Spur; Hinweis). • **le sillon:** (Acker-)Furche. • **aérer:** (be)lüften; hier: lockern. • **les semis** (m.; pl.!): Aussaat.

tu prends juste un livre et tu lis. Mais ce n'est pas plus facile, au contraire.

Les livres, je peux vous en parler, maintenant: j'en ai lu.

Quand on n'est pas éduqué, comme moi, vous ne pouvez pas savoir comme c'est compliqué, la lecture. On lit un mot, c'est bon, on le comprend et le suivant aussi, et le troisième, avec un peu de chance. On continue, du bout du doigt, huit, neuf, dix, douze, comme ça jusqu'au point. Mais quand on y est, on est bien avancé! Parce qu'on a beau vouloir tout assembler, pas moyen, les mots restent en vrac, comme une poignée de boulons et d'écrous jetés dans une boîte. Les gens qui savent, c'est facile, pour eux. Ils se contentent de visser ce qu'il faut là où il faut. Quinze mots ou vingt mots, ça ne leur fait pas peur, ça s'appelle une phrase. Pour moi, pendant longtemps, c'était bien autre chose. Je savais lire, ça bien sûr, puisque je connaissais mes lettres. Le problème, c'était le sens. Un livre, c'était un piège à rat pour ma fierté, un putain d'objet hypocrite, qui paraissait inoffensif, à voir comme ça.

De l'encre et du papier, la belle affaire! Un mur, oui. Un mur, à s'y casser la tête.

5 **éduqué, e:** hier: gebildet. • 9 **le bout du doigt:** Fingerspitze. • 10f. **on est bien avancé, e!** (loc.): da hat man den Salat! • 11f. **assembler qc:** etwas zusammenfügen. • 12 **pas moyen!** (m.): keine Chance!, nichts zu machen! • **en vrac** (m.): durcheinander; lose, nicht abgepackt. • 13 **la poignée:** eine Hand voll. • **le boulon:** Schraube(nbolzen). • **un écrou:** (Schrauben-)Mutter. • 14f. **se contenter de faire qc:** sich damit begnügen etwas zu tun. • 20 **le piège:** Falle, Fallstrick. • 21f. **inoffensif, -ive:** ungefährlich, unbedenklich, harmlos. • 23 **la belle affaire!**: etwa: denkste! • 24 **se casser la tête** (loc.): sich den Kopf zerbrechen.

Du coup, lire, je n'en voyais pas l'intérêt tant qu'on n'est pas obligé de le faire, du genre les impôts, les feuilles de Sécu.

Je crois que c'est ça, ce qui m'a le plus intrigué – *Voir: exciter la curiosité* – chez Margueritte.

Chaque fois que je la voyais, ou elle ne faisait rien, ou bien elle bouquinait. Et quand elle ne faisait rien, c'était qu'elle venait de reposer son livre dans son sac pour causer avec moi.

J'ai appris ça, au bout d'un certain temps. Aujourd'hui, si vous me demandiez ce qu'il y a dans son petit sac noir, je pourrais dire, sans me tromper, les yeux fermés, Il y a un paquet de mouchoirs en papier, un stylo, des pastilles de menthe, un livre, son portefeuille, son porte-monnaie et du parfum dans un petit vapo, en verre bleu foncé.

Tout est toujours pareil, sauf le livre, qui change.

Quand je regarde Margueritte, c'est drôle, je ne vois qu'une toute petite mémé de quarante kilos, fripée comme un coquelicot, le dos un peu cassé et les mains qui breloquent, mais, dans sa tête, elle a des milliers d'étagères de livres, tous bien rangés, numérotés. Et ça ne se voit pas qu'elle est intelligente. Enfin, qu'elle l'est à ce point-là. Elle me parle normale-

1 **un intérêt:** hier: Sinn, Notwendigkeit. • 2 **les impôts** (m.): Steuern. • 3 **la Sécu** (fam.): *la Sécurité sociale:* staatliche Sozial- und Krankenversicherung. • 5 **exciter qc:** etwas wecken, erregen. • 7 **bouquiner** (fam.): lesen, schmökern (*le bouquin*, fam.: Buch). • 16 **le vapo** (fam.): *le vaporisateur:* Zerstäuber. • **foncé, e:** dunkel. • 19 f. **friper:** zerknittern, zerknautschen. • 20 **le coquelicot:** Klatschmohn. • **cassé, e:** hier: gekrümmt. • 21 **breloquer** (région.): zittern, wackeln.

ment, elle se promène au parc, elle compte les pigeons, comme font les personnes ordinaires.

Elle ne fait pas sa fière.

Pourtant, quand elle était plus jeune, les femmes ne faisaient pas souvent des études aussi spécialisées, à ce qu'elle m'a dit. Je ne sais toujours pas très bien ce qu'elle faisait, dans sa recherche de pépins, ni à quoi ça pouvait servir, mais elle travaillait dans des laboratoires avec des microscopes, des tubes et des flacons et, rien que d'y penser, ça m'impressionne.

Ça et ces livres, aussi, qu'elle lit tout le temps.

Enfin, qu'elle lisait.

6 **à ce qu'elle m'a dit:** ihren Worten nach. • 9 **le tube (à essai):** Reagenzglas. • **le flacon:** Flacon, Fläschchen. • 10 **rien que d'y penser:** wenn ich nur daran denke, der bloße Gedanke daran.

Margueritte et moi, on s'est revu, je sais plus trop la date, pas très longtemps après le premier jour. Elle était sur le même banc, c'était sûrement la même heure.

5 En la voyant, de loin, je me suis dit, Tiens, la mémé aux pigeons! et ça ne m'a pas contrarié plus que ça, ce coup-ci. Je suis allé la saluer. Elle avait les yeux à moitié fermés, avec un air de réfléchir, ou de s'endormir, aussi bien.

10 Chez les vieux, tout finit par se ressembler, penser, mourir, faire la sieste …

J'ai dit bonjour. Elle a tourné la tête, elle a souri.

– Tiens? Bonjour, monsieur Chazes!

On ne m'appelle pas souvent *monsieur*, par ici.

15 C'est plutôt, Salut Germain! ou bien, Oh! Chazes!

Elle m'a fait signe de m'asseoir près d'elle. Et là, j'ai vu qu'elle tenait un livre, posé sur ses genoux. Comme je le regardais, pour tâcher de voir ce que c'était, l'image en couverture, elle m'a demandé:

20 – Vous aimez lire?

– Oh non!

C'était sorti tout seul, comme une balle de fusil, pas moyen de le rattraper.

6 **contrarier qn:** jdn. ärgern; jdm. widersprechen (*la contrariété:* Verärgerung, Ärgernis). • 6 f. **ce coup-ci:** diesmal. • 11 **faire la sieste:** einen Mittagsschlaf halten. • 16 **faire signe** (m.) **à qn de faire qc:** jdm. ein Zeichen geben, jdm. bedeuten, etwas zu tun. • 18 **tâcher de faire qc:** versuchen etwas zu tun. • 19 **la couverture:** hier: Buchdeckel. • 22 **la balle:** hier: Kugel. • 23 **rattraper qc:** etwa wieder einfangen; hier: etwas zurücknehmen, rückgängig machen.

– Non?

Elle avait l'air sciée, Margueritte.

J'ai tenté d'arranger le coup. J'ai fait, comme ça:

– … Trop de travail.

5 – Ah, ça! C'est vrai que cela prend du temps, le travail, au cours d'une vie … Compter les pigeons, écrire son nom sur le monument aux morts …

Elle disait ça avec son air de rire toute seule à l'intérieur, pas méchamment.

10 – Vous m'avez vu faire? Pour le monument, vous m'avez vu?

Elle a hoché la tête.

– Eh bien … Oui, je vous ai aperçu, un jour, devant la stèle. Vous aviez l'air fort occupé, mais, d'ici, je 15 n'arrivais pas à deviner ce que vous faisiez. Alors, j'espère que vous me pardonnerez ma curiosité, lorsque vous vous êtes éloigné, je suis allée me rendre compte par moi-même. Et c'est ainsi que j'ai pu constater que vous veniez d'ajouter un nom, à la liste des disparus: 20 Germain Chazes … Il s'agissait de votre père, je suppose? Car, je ne me trompe pas, vous m'avez bien dit que vous vous prénommiez Germain, vous aussi, n'est-ce pas?

Je lui ai répondu oui. Mais vu que c'était un seul oui 25 pour plusieurs questions différentes, elle a compris ce qu'elle a bien voulu. Et je me suis retrouvé avec un père soldat inconnu qui portait le même nom que moi, ce qui aurait pu me faire drôle: Chazes, c'est le nom

3 **arranger le coup** (fam.): die Sache wieder geradebiegen. • 14 **la stèle:** Stele, Pfeiler. • 17 **se rendre compte:** hier: sich vergewissern. • 19 **le disparu / la disparue:** Vermisste(r); Verstorbene(r).

de ma mère, qui est restée jeune fille même avec le ballon et, plus tard, avec moi dans les bras.

Et même sur les bras, comme elle disait souvent.

Parce que je lui ai pesé lourd, à ma mère. Elle ne
5 s'est pas privée de le faire savoir. Mais, comme dirait Landremont, l'inverse est réciproque – ou quelque chose d'approchant – ce qui est une façon de dire qu'elle m'a bien fait chier, elle aussi.

Je n'ai pas voulu décevoir Margueritte, lui expli-
10 quer le bal du 14 Juillet et ma mère dans un fourré, à se faire expliquer la vie par un mec de trente ans du village voisin, avec pour conséquence une réputation foutue et un gamin à moitié imbécile. De son point de vue tout du moins. Je sentais bien que ce n'était pas
15 comme ça qu'elles se passaient, les choses, dans le monde de Margueritte. C'est pour ça que je lui ai dit oui. Et du coup, je me retrouvais pupille de la Nation et pauvre orphelin de la guerre, ce qui est bien plus classieux qu'un accident de foutre, si je peux donner
20 mon avis.

1 **la jeune fille:** hier: unverheiratete Frau. • 2 **le ballon:** hier (fam.): Babybauch. • 3 **avoir qn sur les bras** (m.; loc.): jdn. am Hals haben. • 4 **peser lourd à qn:** jdm. eine Last sein. • 4f. **ne pas se priver de faire qc:** sich nicht zurückhalten etwas zu tun. • 6 **réciproque:** reziprok, gegenseitig, wechselseitig. • 10 **le 14 Juillet:** französischer Nationalfeiertag; erinnert – anders als üblicherweise angenommen – nicht an den Sturm auf die Bastille am 14. Juli 1789, sondern an das Föderationsfest (*Fête de la Fédération*) 1790, das sich aber auf den Volksaufstand im Vorjahr bezog; wird heute mit Militärparaden, Feuerwerken, Musik und Tanz begangen. • **le fourré:** Gestrüpp, Dickicht. • 12 **la réputation:** Ruf. • 17 **le pupille de la Nation:** unter staatlicher Fürsorge stehende Kriegswaise. • 18 **un orphelin / une orpheline:** Waise. • 19 **classieux, -euse** (néolog.; fam.): edel. • **foutre** (vulg.): ficken, bumsen.

Elle a eu un petit soupir, comme si elle était malheureuse à ma place.

Et de quoi, j'ai pensé? De quoi elle me plaindrait? Elle est plutôt belle, ma vie!

Je me souviens qu'elle m'a regardé avec un air sérieux, pour me dire:

– Je trouve cela touchant de votre part, de mettre autant de cœur à vouloir rétablir ce qui est certainement une injustice ... D'ailleurs, quand on y songe, c'est un peu aberrant: si votre père est mort en Algérie, comment se fait-il que son nom ne soit pas inscrit sur cette stèle?

Qu'est-ce que je pouvais bien donner, comme raison valable, pour expliquer que mon paternel n'était pas dans la liste? Vu que, si mes renseignements sont bons, il s'appelait Despuis, qu'il était menuisier et qu'il n'est même pas mort au combat, mais dans un accident d'autocar en Espagne, quand j'avais dans les quatre, cinq ans. Sans parler du fait qu'il n'y avait jamais foutu les pieds, dans cette guerre d'Algérie (1954–1962). Et que s'il était mort à cette guerre d'Algérie, j'aurais pas vu le jour – ce qui aurait emmerdé personne – vu que moi je suis né en avril 1963. Le 17.

Mais l'ensemble mis bout à bout, j'avais beau réflé-

3 **plaindre qn:** Mitleid mit jdm. haben, jdn. bedauern. • 7 **touchant, e:** rührend, ergreifend. • 8 **rétablir qc:** etwas wiederherstellen; hier: etwas richtigstellen. • 9 **songer à qc:** an etwas denken; über etwas nachdenken. • 10 **aberrant, e:** irrsinnig, abwegig. • 14 **valable:** gültig. • **le paternel** (fam.): alter Herr, Alter. • 20 **foutre les pieds** (m.) **quelque part** (fam.): einen Fuß irgendwohin setzen; etwas betreten; irgendwo hingehen. • 22 **voir le jour** (loc.): das Licht der Welt erblicken, geboren werden. • 24 **mettre bout à bout:** aneinanderreihen (*le bout:* Ende; Spitze).

chir, je ne voyais pas trop comment lui envelopper mon histoire, à cette pauvre vieille. J'étais là comme un gland, à soupirer sur ma version des choses, que je n'arrivais pas à rendre plus jolie.

5 C'est alors qu'elle a dit:

– Je suis désolée, monsieur Chazes … Je m'aperçois que ma question était très indiscrète, je vous prie de m'en excuser. Je ne voulais pas vous mettre mal à l'aise, non, vraiment, je suis désolée …

10 J'ai répondu:

– Y a pas de mal …

Et c'était vrai, y en avait pas. Mon père, je m'en fous. Je l'ai juste en tant qu'origine.

1 **envelopper:** hier (fig.): verpacken, glaubhaft machen (*une enveloppe:* Umschlag, Hülle). • 3 **le gland:** Eichel; hier (vulg.): Dummkopf, Idiot. • 6 **s'apercevoir de qc:** etwas (be)merken. • 7 **prier qn de faire qc:** jdn. bitten etwas zu tun. • 8 f. **mettre qn mal à l'aise:** jdn. bedrängen.

Ce jour-là, en rentrant chez moi, je me suis demandé pourquoi je tenais tant que ça à le mettre, mon nom, sur leur putain de liste en marbre. Parce qu'au fond, si je réfléchissais – ce que je n'aimais pas beaucoup faire, à l'époque –, je le savais bien que je n'avais pas commis la guerre. Et je savais aussi qu'il fallait être mort, pour être au catalogue. Même si je jouais les crétins devant Devallée, l'adjoint au maire.

Je le savais, moi, Germain Chazes, qu'il n'y a que ceux qui sont clamsés qui ont le droit d'être là, gravés en lettres majuscules, à se faire chier dessus par les pigeons du parc.

Alors pourquoi, pourquoi je tenais tellement à en faire partie? Peut-être pour me dire que j'étais quelque part, que j'existais un peu, même si j'étais pas vraiment indélébile sur toutes les surfaces. Ou alors, pour que quelqu'un d'autre se dise, Tiens, qui ça peut bien être, ce type qui écrit tout le temps son nom sur le monument aux morts? Pourquoi donc il fait ça?

J'aurais voulu pouvoir parler de tout ça à quelqu'un, mais à qui? Landremont ou Marco, pas la peine, ils m'auraient pris pour un con, pour changer. Julien, je ne savais pas trop. Jojo, Youssef, non plus. Annette?

2 **tenir à faire qc:** darauf Wert legen etwas zu tun, etwas unbedingt machen wollen. • 3 **au fond** (fam.): im Grunde genommen, eigentlich (*le fond:* Boden, Grund). • 6 **commettre qc:** etwas begehen, verüben. • 7 **le catalogue:** hier: Namensliste des Kriegsgefallenendenkmals. • 8 **un adjoint / une adjointe:** Stellvertreter(in), Assistent(in). • 10 **clamser** (pop.): krepieren, abkratzen. • 11 **chier** (vulg.): scheißen, kacken. • 21 **pas la peine** (fam.): eigtl.: *ce n'est pas la peine:* Vergiss es!

Oui, c'était peut-être une chose dont on pouvait parler à une femme, ça.

Elles sont marrantes, les gonzesses: elles ne comprennent rien à rien, y a qu'à voir comme on se fout
5 d'elles, pourtant, pour certains trucs, elles ont des antennes. En deux temps et trois mouvements elles t'expliquent comment tu fonctionnes, en dedans. Et c'est pas toujours faux, ce qu'elles disent. Elles ont du bon sens, quelquefois.

10 Tout d'un coup, je me suis aperçu d'une chose étonnante: j'étais en train de me poser des questions sur moi-même, sur ma façon de penser, de réagir, tout ça! Putain! je me suis dit.

C'était nouveau pour moi, ça donnait le vertige.
15 Parce que, avant ce jour-là, je pensais ou je ne pensais pas. Ou soit l'un, ou soit l'autre. Et lorsque je pensais, je ne m'y attardais pas, ça se faisait presque en dehors de moi. Quand je pensais, c'était sans réfléchir.

Seulement, expliqué comme ça, c'est pas très clair,
20 je m'en rends compte. Mais c'était pas dans mes habitudes, de me mettre à chercher le pourquoi du comment.

Margueritte, sans le vouloir, elle m'avait déclenché une sacrée envie de réflexion, comme une bandaison
25 de la cervelle.

Alors le soir, en faisant griller mon steak au barbe-

6 **en deux temps** (m.) **et trois mouvements** (m.; loc.): im Handumdrehen. • 8f. **le bon sens:** gesunder Menschenverstand. • 14 **donner le vertige:** schwindelerregend sein (*le vertige:* Schwindel[gefühl], Schwindelanfall). • 17 **s'attarder à qc:** sich an etwas aufhalten, bei etwas verweilen. • 23 **déclencher qc:** etwas auslösen. • 24 **la bandaison** (vulg.): sexuelle Erregung. • 25 **la cervelle:** Gehirn(masse).

cue, devant la caravane, je me suis souvenu de tout un tas de trucs qui m'étaient arrivés depuis que je suis gosse. Ce que je vous ai dit sur monsieur Bayle, par exemple. Les engueulades avec ma mère. Cet enculé de Gardini – j'en parlerai plus tard. La première fois où j'ai volé un sac, mais bon, j'étais gamin, tous les gamins font ça. L'armée. Les cuites et les bagarres dans les bars. Les parties de belote ou de baise. Tous les cons qui se paient ma tête et qui croient que je ne vois rien.

Et les années qui sont passées si vite que maintenant, comme dit Landremont, au vu des statistiques et du niveau d'espérance de vie, je suis plus près de l'arrivée que du départ.

Après, je me suis souvenu de tout ce que je rêvais d'être, quand j'étais mioche. Et même de la vocation – *Inclination, penchant (pour une profession, un état)* – que j'ai eue vers douze ans. Chaque fois que c'était ouvert, je trouvais le moyen de passer par l'église. Pas pour prier, j'en avais rien à foutre, que le Seigneur m'excuse dans Sa grande bonté. J'allais juste regarder le grand vitrail, au fond du chœur. Je trouvais qu'il avait de trop belles couleurs, et des dessins vraiment chiadés. Alors j'ai décidé de faire vitrailleur.

1f. **tout un tas de trucs** (m.; fam.): ganz viele Dinge. • 4 **une engueulade** (fam.): Krach, Auseinandersetzung. • **un enculé** (vulg.): Arschloch. • 7 **la cuite** (fam.): Rausch. • **la bagarre:** Schlägerei, Rauferei. • 9 **se payer la tête de qn** (fam.): jdn. verarschen. • 11 **au vu de qc:** in Anbetracht einer Sache. • 12 **une espérance de vie:** Lebenserwartung. • 15 **la vocation:** Berufung, Neigung. • 16 **une inclination; le penchant:** Neigung, Hang. • 20 **la bonté:** Güte. • 21 **le vitrail:** Buntglasfenster, Kirchenfenster (*le vitrailleur:* Bleiverglaser). • **le chœur:** Chor, Presbyterium. • 23 **chiadé, e** (fam.): verzwickt, kniffelig; ausgefeilt. • **faire qc** (fam.): etwas werden.

Quand j'ai dit ça, au moment de l'orientation, on m'a répondu que ça n'était pas un métier, vitrailleur. Pas un métier?! Putain, mais qu'est-ce qu'il leur fallait à ces connards? C'était le plus beau métier du monde
5 au contraire. À la place, on m'a proposé de rentrer apprenti dans une verrerie. Je les ai tous envoyés chier en leur disant que fabriquer des verres, j'en avais rien à battre. Pourquoi pas des bols en Pyrex tant qu'on y est?
10 C'était qu'un mot, un seul, à me décortiquer, voyez? Seulement, ce jour-là, personne ne m'a expliqué qu'on doit faire verrier, pour faire des vitraux.

Enfin bon, en coupant mes tomates et mes oignons pour la salade, j'ai repensé à moi, mais pas vraiment
15 comme si c'était moi. Plutôt comme à un gamin que j'aurais croisé dans la rue, le mouflet des voisins, un neveu. Un chiard quelconque, qui n'aurait pas eu trop de bol, dans la vie. Un pauvre gosse, sans père et presque pas de mère non plus, pour tout dire, parce
20 que la mienne ou rien …

Je me suis vu d'en haut, ça m'a fait drôle. Je me suis dit, Bon sang, Germain, pourquoi tu fais les choses?!

1 **une orientation:** hier: Berufsberatung. • 4 **le connard, la connasse** (pop.): Vollidiot(in), Blödmann. • 5 **à la place:** stattdessen. • 5f. **rentrer apprenti, e:** eine Ausbildung machen (*un apprenti / une apprentie:* Lehrling, Lehrjunge/Lehrmädchen). • 6 **la verrerie:** Glasfabrik. • 6f. **envoyer qn chier** (pop.): jdn. zum Teufel schicken. • 7f. **n'avoir rien à battre de qc** (fam.): auf etwas pfeifen. • 9 **tant qu'on y est** (fam.): wenn wir schon mal dabei sind. • 10 **décortiquer qn** (fam.): etwa: jdn. auf die Palme bringen. • 16 **le mouflet / la mouflette** (fam.): kleiner Junge / kleines Mädchen; Gör(e). • 17 **le chiard / la chiarde** (arg.): kleiner Junge / kleines Mädchen; ‚Scheisser'. • 17f. **avoir du bol** (fam.): Glück, Schwein haben (*le bol:* [Trink-]Schale).

Les choses «en général» je voulais dire: les pigeons, courir sans respirer, jouer à la belote, sculpter mes bouts de bois avec mon Opinel. Je me demandais ça d'un ton sérieux, on aurait dit que j'étais quelqu'un d'autre. La voix du Seigneur, par exemple, sauf Son respect et avec les salutations que je Lui dois. *Germain, pourquoi tu fais les choses?* Ça me ricochait dans la tête, *Pourquoi, pourquoi Germain? Pourquoi?*

Je crois que ce soir-là, j'ai eu comme une crise d'intelligence. J'avais peut-être eu quelques accès, avant. Quand j'étais mioche, justement. Mais on avait dû me soigner tout de suite, à l'époque, Va jouer, nous les brise pas, fais pas chier, avec tes questions!

Quand on te fait pousser sous cloche, tu peux pas t'élever bien haut.

4 **on aurait dit:** man hätte gedacht, meinen können. • 7 f. **ricocher dans la tête de qn** (fam.): in jds. Kopf hallen, hämmern. • 10 **un accès de qc:** ein Anfall, eine Anwandlung von etwas. • 12 f. **les briser à qn** (les couilles) (fam.): jdm. auf die Nerven gehen. • 14 **la cloche:** Glocke, Schutz. • 15 **s'élever:** hochsteigen, hier: vorwärtskommen.

La troisième fois où j'ai vu Margueritte, j'étais là avant elle. Je m'étais assis sur le banc, en prenant l'air mauvais chaque fois qu'une mère encombrée de gamins ou un vieux bardé d'une canne rappliquaient vers mon coin. Histoire de foutre la trouille aux passants, avec ma sale gueule, pour qu'ils aillent camper plus loin.

Ce banc, c'était le nôtre, à Margueritte et moi. C'était le sien et le mien, point final. Le plus drôle, c'est que je l'attendais, ma mémé aux pigeons. Et quand je l'ai vue se pointer tout au bout de l'allée, sur ses petites pattes maigres, avec sa robe à fleurs, son gilet gris, son sac au pli du bras, ça m'a fait chaud au cœur. Pareil qu'un gosse de quinze ans avec son amoureuse. Enfin, non, pas *pareil*. Mais vous comprenez, quoi.

Elle m'a fait un coucou du bout des doigts, ça m'a donné envie de rire. Voilà, si je devais vous définir ce que c'est, elle et moi, je dirais ça: un coup de bonne humeur, qui fait qu'on se sent bien. Heureux.

Elle a posé son sac, elle s'est assise en arrangeant bien tous les plis du tissu. Elle a dit:

– Monsieur Chazes, quelle bonne surprise!

3 **être encombré, e de qc:** die Hände voll mit etwas haben (*encombrer:* versperren, verstopfen). • 4 **barder qn de qc:** jdn. mit etwas behängen. • **rappliquer** (fam.): aufkreuzen. • 5 **foutre la trouille à qn** (fam.): jdm. Angst einjagen. • 6 **la sale gueule** (fam.): fiese Schnauze. • **camper** (fam.): sich aufhalten; notdürftig untergebracht sein. • 11 **se pointer** (fam.): aufkreuzen, antanzen. • 13 **le pli:** Falte. • 14 **un amoureux / une amoureuse:** Verehrer(in); Verliebte(r). • 16 **le coucou** (fam.): Hallo.

– Vous pouvez me dire Germain, vous savez!

Elle a souri.

– Vraiment? Ce sera avec grand plaisir, Germain, croyez-le bien. Mais je me le permettrai seulement si, de votre côté, vous acceptez de m'appeler Margueritte.

– … Bah, si vous y tenez, moi je veux bien!

– J'y tiens absolument.

– Ben alors, dans ce cas …

– Avez-vous déjà compté nos oiseaux, aujourd'hui?

Elle avait dit «nos oiseaux», et je n'ai pas trouvé ça bizarre. J'ai dit:

– Je vous attendais.

Le pire, c'est que c'était vrai.

Elle a froncé les sourcils comme si elle réfléchissait à des choses importantes, puis elle a fait:

– Bien. Dites-moi, Germain, comment allons-nous procéder? Voulez-vous que je commence, pour qu'ensuite vous recomptiez vous-même …? Le faisons-nous ensemble à haute voix? Préférez-vous que nous comptions en silence, avant de comparer nos résultats?

– Chacun dans sa tête, j'ai dit.

– Oui, vous avez raison … Je crois qu'ainsi nous ne risquons ni de nous gêner, ni de nous influencer. Vous avez un esprit scientifique, Germain. J'aime ça.

Et, vu qu'elle ne se foutait pas de moi, je me suis senti fier, ce qui est rare.

On en a compté seize. J'ai pu lui présenter Castagne, Petit Gris, le Morbac, plus deux trois autres qu'elle n'avait pas encore vus.

18 **procéder:** vorgehen, sich dranmachen. • 29 **le morbac** (arg.): kleiner Junge.

Pour «Morbac», elle m'a fait répéter, elle ne connaissait pas le mot.
– Morbac. Comme un morbac.
– Un quoi?
5 – Ben, un morbac, enfin!
– Non, non, je ne vois pas ... Cela ne me dit rien.
– Mais si, vous savez bien, quoi. Un morpion, si vous préférez.
– Un morpion?! Vous voulez parler ... heu ... des
10 poux de pubis?
Elle avait un peu l'air de rouler sur la jante.
– Oui, aussi. Mais c'est surtout comme ça qu'on appelle les gosses ... Vous le saviez pas ça?
– Mon Dieu, non! Je sens que je n'ai pas fini d'en
15 apprendre, avec vous ... Mais pourquoi appelle-t-on les enfants ainsi?
– Ben, parce qu'ils sont petits, qu'ils se cramponnent à vous, qu'ils ne vous lâchent pas et qu'ils sont énervants! Quand on en a chopé un, pas moyen de s'en dé-
20 barrasser, voyez?
– Ah oui ... oui, sans doute ... bien sûr! ... D'où la comparaison avec le phtiriasis ...
– C'est ça, j'ai fait. Comme ce truc, là, que vous dites. J'en étais pas trop sûr, mais bon.
25 Elle a rigolé.
– Eh bien, je n'ai pas perdu ma journée, grâce à vous! J'ai appris quelque chose.

7 **le morpion:** Filzlaus; hier (fam.): kleiner Junge, Lausebengel. • 10 **le pou:** Laus. • **le pubis:** Schambein. • 11 **rouler sur la jante** (fam.): erschöpft sein; hier etwa: auf dem Holzweg sein (*la jante:* Felge). • 17f. **se cramponner à qn:** sich an jdm. festkrallen, festklammern. • 19f. **se débarasser de qn/qc:** jdn./etwas loswerden, sich jdn./etwas vom Hals schaffen. • 22 **le phtiriasis** (méd.): Phtiriasis, Filzlausbefall.

– Bah, c'est rien. Il faut s'entraider.

Elle est restée un moment sans rien dire et après, tout d'un coup, comme si elle se souvenait de son lait sur le feu, elle a fait:

– Oh, j'allais oublier …

Et puis elle a sorti un livre de son sac, en disant:

– Germain, savez-vous que j'ai pensé à vous, hier soir, en relisant ce roman?

– À *moi?* j'ai dit.

Ça me trouait le cul.

– Mais oui: à vous. À vous et aux pigeons! J'y ai pensé soudain, au détour d'une phrase … Ah, il faut absolument que je vous la retrouve, attendez … Voyons … Ah, voilà! Écoutez: *Comment faire imaginer, par exemple, une ville sans pigeons, sans arbres et sans jardins, où l'on ne rencontre ni battements d'ailes ni froissements de feuilles, un lieu neutre pour tout dire?*

Elle s'est arrêtée. Elle me regardait, avec la mine un peu fiérote de quelqu'un qui m'aurait fait un beau cadeau. Et moi, je me sentais intimidé. C'est pas souvent qu'on me donne une phrase. Et pas souvent non plus qu'on pense à moi en lisant des romans. J'ai demandé:

– Vous pourriez la redire? Pas trop vite, si c'est pas trop vous demander …

– Bien sûr … *Comment faire imaginer, par exemple, une ville sans pigeons, sans arbres et sans jardins …*

1 **s'entraider:** sich gegenseitig helfen. • 10 **trouer le cul à qn** (vulg.): etwa: jdn. sprachlos lassen (*trouer qc.:* etwas durchlöchern). • 12 **au détour d'une phrase:** etwa: durch einen bestimmten Satz (*le détour:* Umweg). • 16 **le battement d'aile:** Flügelschlag (*une aile:* Flügel). • 16f. **le froissement:** Rascheln, Knistern. • 19 **fiérot, e** (fam.): dummstolz, eingebildet. • 20 **intimider qn:** jdn. einschüchtern.

– C'est dans le livre, ça?
– Oui.
– C'est bien trouvé. C'est vrai, ça, dites! Une ville sans arbres et sans oiseaux! ... Il s'appelle comment, 5 ce bouquin?
– *La Peste*. L'auteur se nomme Albert Camus.
– Mon grand-père aussi s'appelait Albert. C'est un drôle de titre, *La Peste*. De quoi ça parle?
– Je vous le prêterai, si vous voulez ...
10 – Oh vous savez, moi, la lecture! ...
Elle a refermé le livre. Elle a eu l'air d'hésiter, et puis elle a fait:
– Voudriez-vous que je vous en lise quelques extraits? J'aime beaucoup lire à voix haute, mais je n'en 15 ai pas souvent l'occasion. Vous comprenez, si je lisais toute seule, assise sur mon banc, je pense que les gens auraient tôt fait de s'inquiéter de ma santé mentale ...
J'ai fait:
– Ah ça, c'est vrai qu'on vous prendrait sûrement 20 pour une vieille barge, sans vouloir vous désobliger ...
Elle a éclaté de rire:
– Ah! ah! Pour une vieille barge, exactement! Ce qui est une autre jolie façon de dire «une bécasse», n'est-ce pas?! ... Enfin, tout cela pour vous dire que, 25 si vous étiez d'accord, je pourrais vous lire quelques morceaux choisis. Vous me serviriez d'alibi, vous comprenez? ... Mais loin de moi l'intention de vous en-

6 **Camus:** Albert Camus (1913–60), französischer Schriftsteller und Philosoph; Autor von Werken wie *L'Étranger* (*Der Fremde*), *La Peste* (*Die Pest*) oder *La Chute* (*Der Fall*). • 13 f. **un extrait:** Auszug. • 15 **une occasion:** Gelegenheit. • 20 **le/la barge** (fam.): Verrückte(r), Bekloppte(r) (*la barge:* Schnepfe). • **désobliger qn:** jdn. kränken, vor den Kopf stoßen. • 23 **la bécasse:** Schnepfe.

nuyer … Je ne vous ferai la lecture que si vous en avez envie, bien entendu. Donc soyez franc, je vous en prie: cela vous ferait-il plaisir?

J'ai répondu que oui.

5 Plaisir, c'était peut-être pas le mot qui convenait mais, à première vue, c'était une perspective – *Voir: expectative, éventualité* – qui semblait pas devoir trop me casser les couilles.

Des fois j'écoute des histoires à la radio, des 10 drames, pendant que je fais mes sculptures avec mon Opinel. C'est vrai que ça occupe bien les oreilles.

1 **faire la lecture:** vorlesen. • 2 **franc, franche:** ehrlich. • 7 **une expectative:** abwartende Haltung. • **une éventualité:** Eventualität, Möglichkeit. • 8 **casser les couilles à qn** (fam.): jdm. auf die Nerven gehen.

Margueritte a commencé à lire de sa petite voix tranquille. Et puis, je ne sais pas si c'est l'histoire qui l'entraînait, mais elle s'est mise à parler plus fort, elle changeait de ton pour montrer quand il y avait plu-
5 sieurs personnages.

Quand tu entends comme elle fait ça bien, tu aurais beau y mettre de la mauvaise volonté, et pas vouloir t'intéresser à ce qu'elle raconte, c'est trop tard. T'es piégé. Moi, en tout cas, la première fois, j'en suis resté
10 carrément sur le cul.

Elle avait laissé deux trois pages, au début du livre, en expliquant:

– Nous allons directement entrer dans l'action, si vous êtes d'accord.

15 Elle a ajouté:

– Je me suis toujours un peu ennuyée pendant les entrées en matière … Enfin! … Bien, il faut que je situe, quand même: l'histoire se passe en Algérie, à Oran …

20 Si elle avait juste dit «à Oran», j'aurais dû faire semblant de savoir où c'était. L'Algérie, c'était bon: Youss' me l'avait montrée sur une carte, vu que ses parents y sont nés.

De toute façon, elle n'a même pas cherché à vérifier

2f. **entraîner qn:** hier: jdn. mitziehen. • 8f. **être piégé, e:** in der Falle sitzen (*le piège:* Falle). • 9f. **rester sur le cul** (fam.): ganz baff, verblüfft sein. • 10 **carrément** (fam.): richtig, ganz schön, glatt. • 17 **une entrée en matière** (f.): etwa: Einführung ins Thema. • 19 **Oran:** Küstenstadt im Westen von Algerien. • 20f. **faire semblant:** so tun als ob, vorgeben. • 24 **chercher à faire qc:** versuchen etwas zu tun.

si je connaissais ma géographie, ni quoi ni qu'est-ce. Elle s'est mise à lire, tranquille, sans rien me demander:

– *Le matin du 16 avril, le docteur Bernard Rieux sortit de son cabinet et buta sur un rat mort, au milieu du palier. Sur le moment, il écarta la bête sans y prendre garde et descendit l'escalier. Mais, arrivé dans la rue, la pensée lui vint que ce rat …*

À peine elle avait commencé, moi je savais déjà que ça allait me plaire! Je ne voyais pas trop le genre que c'était, une histoire d'horreur, ou un truc policier, mais ce qui était sûr, c'est qu'elle m'avait chopé par les oreilles, comme on fait avec les lapins.

Je le voyais, ce rat crevé. Je le voyais!

Et l'autre, aussi, celui qui court dans le couloir, et calanche en crachant son sang. Et puis, un peu plus loin, la femme du docteur, malade, dans son lit.

– *… à cette époque en tout cas que nos concitoyens commencèrent à s'inquiéter. Car, à partir du 18, les usines et les entrepôts dégorgèrent, en effet, des centaines de cadavres de rats. Dans certains cas, on fut obligé d'achever les bêtes, dont l'agonie …*

Putain, quelle vérole! J'imaginais ces bestioles

5 **le cabinet:** Praxis; Kanzlei; Agentur. • **buter sur qc:** über etwas stolpern, auf etwas stoßen. • 6 **le palier:** Treppenabsatz. • **écarter qc:** etwas zur Seite schieben; etwas öffnen, spreizen. • 6f. **prendre garde** (f.) **à qc:** auf etwas achtgeben; sich vor etwas in acht nehmen. • 11 **policier, -ière:** Kriminal … • 16 **calancher** (arg.): den Löffel abgeben, abkratzen. • **cracher:** (aus)spucken. • 18 **le concitoyen / la concitoyenne:** Mitbürger(in). • 20 **un entrepôt:** Lager. • **dégorger qc:** sich einer Sache entledigen, etwas ausspucken (*la gorge:* Kehle, Hals, Gurgel). • 22 **achever qc:** etwas beenden; hier (fig.): etwas töten. • **une agonie:** Agonie, Todeskampf. • 23 **la vérole:** Syphilis; Pocken; hier (fam.): Plage.

clamsées dans tous les coins, et la ville envahie. C'était pareil qu'au cinéma, mais pour moi tout seul, dans ma tête. On était au milieu du parc, à l'ombre du tilleul, elle et moi, bien peinards. Et tout autour de nous, si je
5 fermais les yeux – même pas, si je laissais causer mon imagination – il y avait un gros tas de cadavres de rats, tout gonflés et puants, avec les pattes raides. Et puis d'autres, partout, en train de tortiller leurs queues roses et pelées, en couinant.

10 – *Des réduits, des sous-sols, des caves, des égouts, ils montaient en longues files titubantes pour venir vaciller à la lumière, tourner sur eux-mêmes et mourir …*

Bah, quelle horreur, cette vermine! Ça m'en foutait des frissons, d'y penser. S'il y a des bestioles qui
15 me débectent, c'est bien les rats. Les rats, et puis les blattes. C'est dégueulasse aussi, les blattes.

Margueritte lisait quelques pages, elle sautait un passage, et elle continuait un peu plus loin. Moi, je ne bronchais pas. Je me demandais seulement si le ser-
20 vice de dératisation de la ville allait finir par s'en sortir ou pas, de cette merde. Parce que, quand on sait

7 **puer:** stinken (*la puanteur:* Gestank). • **raide:** steif, hart. • 8 **tortiller:** schlängeln, winden. • 9 **pelé, e:** kahl, unbehaart (*peler:* schälen). • **couiner:** quieken, fiepen, quietschen. • 10 **le réduit:** Verschlag, Abstellraum. • **le sous-sol:** Kellergeschoss, Untergrund. • **un égout:** Abwasserkanal, Kanalisation. • 11 **la file:** Reihe. • **tituber:** schwanken, taumeln, torkeln (*titubant, e:* schwankend, taumelnd). • **vaciller:** schwanken, taumeln. • 13 **la vermine:** Ungeziefer; Gesindel. • 13f. **foutre des frissons à qn** (fam.): jdm. Schauer einjagen (*le frisson:* Schauder, Frösteln). • 14 **la bestiole** (fam.): kleines unsympathisches Tier; Ungeziefer. • 15 **débecter qn** (pop.): jdn. anwidern, ankotzen. • 16 **la blatte:** Schabe. • **dégueulasse** (pop.): widerlich, ekelhaft. • 19 **broncher:** aufmucken, murren. • 20 **la dératisation:** Rattenvernichtung, Rattenvertilgung. • 20f. **se sortir de qc:** sich aus/von etwas befreien.

comme ils bossent, dans les mairies! Enfin dans la nôtre, en tout cas. C'est peut-être autre chose, à Oran. Si c'est le cas, tant mieux pour eux. Ce serait par ici, sans accuser personne, on pourrait tous mourir étouffés sous les rats. En plus voilà que, dans son livre, le concierge tombait malade, avec des ganglions qui lui sortaient du cou. Les ganglions, je sais ce que c'est, parce qu'un jour j'ai eu une saloperie et je les sentais bien, mes ganglions à l'aine. Surtout que le toubib m'appuyait fort dessus, ce con-là.

Quand Margueritte s'est arrêtée de lire, j'aurais voulu qu'elle continue. Mais comme on n'était pas intimes, j'ai pas osé lui demander. J'ai juste dit:

– C'est intéressant, votre livre.

Elle a eu un petit geste, pour dire qu'elle était d'accord.

– Oui, Camus était un grand auteur, c'est certain.

– C'est Albert, son prénom, c'est ça? Albert Camus?

– Tout à fait. Vous n'aviez jamais rien lu de lui? *L'Étranger? La Chute?*

– ... Je crois pas. J'en ai pas souvenir, en tout cas.

– Si cette lecture vous a plu, peut-être pourrions-nous reprendre ce livre un jour prochain, qu'en dites-vous?

Moi j'en disais d'accord, et tout de suite même. En même temps, je comptais pas non plus dépenser mes journées sur les bancs, à me faire écouter des his-

6 **le ganglion:** Lymphknoten. • 9 **une aine:** Leiste(nbeuge). • **le/la toubib** (fam.): Arzt, Ärztin. • 24 **un jour prochain** (litt.): bald, dieser Tage. • 27 **compter faire qc:** vorhaben etwas zu tun. • **dépenser:** hier (fig.): verschwenden.

toires, comme on fait aux petits. Sauf qu'aux gamins, c'est pas rempli de rats crevés les choses qu'on leur lit.

J'ai répondu:

– Peut-être, pourquoi pas? À l'occasion, je dis pas non.

Ce qui était une façon de dire oui, mais sans paraître acheteur pour autant.

On s'est dit au revoir, sans se donner de date.

Je l'ai raccompagnée un bout de chemin, dans l'allée. Elle est sortie du côté du boulevard de la Libération. Moi j'aime mieux prendre par l'avenue des Lices, c'est plus court. Enfin, pour aller où je vais, c'est plus court.

C'est relatif.

6 f. **être acheteur:** (am Kauf) interessiert sein. • 12 **la lice** (hist.): Arena.

En marchant, je repensais à ce truc, qu'elle venait de me lire. À part les rats, y avait d'autres moments que j'avais bien aimé. Par exemple, le coup du voisin qui veut se suicider et qui écrit à la craie sur sa porte: *Entrez, je suis pendu.*

Entrez, je suis pendu! Ça tue, un truc pareil, non? Qu'est-ce qu'il pouvait bien avoir dans la tronche, ce Camus, pour inventer des conneries pareilles!

Quoique des fois, la vie ... Je me souviens, quand j'étais môme, mon voisin s'est tiré un coup de fusil, en pleine tête. Lombard, il s'appelait. Comme il craignait que ses gosses le trouvent en rentrant de l'école, il avait laissé un mot à la porte d'entrée, lui aussi: *Je suis allé aux commissions*. Et pour pas que leur chien s'échappe, il l'avait gardé enfermé avec lui. C'était un gros clébard marron-gris, mauvais comme la gale, un bâtard de chien-loup et de dogue allemand. Quand les gosses sont revenus de l'école, ils ont lu le mot de leur père, et puis ils ont entendu le clebs gratter, à l'intérieur. Ils ont voulu le libérer, seulement c'était fermé à clé, alors le garçon a dit à sa sœur de pas bouger de là et de rester tranquille. Ensuite, il a fait le tour de la mai-

3 **le coup:** Fall, Ding; Mal. • 4 **se suicider:** sich umbringen, Selbstmord begehen. • 5 **se pendre:** sich erhängen. • 7 **la tronche** (fam.): Birne; Gesicht, Visage. • 10 **le/la môme** (fam.): kleines Kind, Balg; Junge/ Mädchen. • **le coup de fusil:** (Gewehr-)Schuss (*le fusil:* Gewehr, Flinte). • 14 **la commission:** Einkauf, Besorgung. • 16 **être mauvais, e comme la gale:** übel wie die Krätze sein (*la gale:* Krätze; fig. Giftnudel, Giftspritze). • 17 **le bâtard:** uneheliches Kind, Bastard; hier: Kreuzung (*bâtard, e:* Misch…, nicht reinrassig).

son, il est passé par la fenêtre de derrière. Il n'est pas ressorti. Quand la mère est rentrée de son travail et qu'elle a vu le mot, la petite assise toute seule sur le pas de la porte, et son grand qui était nulle part, elle s'est
5 dit que c'était pas net, comme anguille sous roche.

Elle a laissé sa fille chez nous, elle a demandé à ma mère de la lui surveiller. Je m'en souviens, ça m'a gonflé parce qu'elle pleurait toujours tout le temps, cette gamine.

10 D'abord on a entendu rien. Et puis le hurlement de la voisine. Et après, la sirène des pompiers. Et ensuite celle des flics. Je suis sorti pour voir, mais j'ai pas vu grand-chose, sauf du monde sur la pelouse autour d'une civière avec un drap dessus.

15 Plus tard, madame Lombard a raconté à ma mère que lorsqu'elle est entrée chez elle, elle a trouvé son gamin dans la cuisine, immobile, tout raide, debout devant le corps de son père qui était dans un état vraiment pas beau à voir. Il paraît que le chien avait la
20 gueule barbouillée de sang jusqu'aux oreilles. Par contre il avait fait les sols, bien proprement, à coups de langue. Le crâne de son maître aussi, tant qu'il y était. Plus une seule trace de sang, de petit éclat d'os ou de bout de cervelle. Impeccable, c'était. Nettoyé
25 comme un pot.

3f. **le pas de la porte:** Türschwelle. • 5 **ne pas être net:** nicht stimmen, komisch sein (*net, nette:* sauber; deutlich; Netto...). • **il y a anguille sous roche** (f.; loc.): da ist irgend etwas im Busch, da steckt doch etwas dahinter (*une anguille:* Aal). • 10 **le hurlement:** (Ge-)Schrei, Brüllen, Heulen (*hurler:* schreien). • 12 **le flic** (fam.): Bulle, Polizist. • 14 **la civière:** Trage, Bahre. • 20 **barbouiller qc:** etwas beschmieren. • 22 **le crâne:** Schädel. • 23 **un éclat:** Splitter (*éclater:* zersplittern; platzen; ausbrechen). • 24 **impeccable:** tadellos, astrein.

On a dû le piquer ce chien, ou quelque chose.

Ça l'a rendue complètement cintrée cette femme. Après, chaque fois qu'elle voyait un clébard dans la rue, elle rapatriait ses enfants sous ses jupes, en gueu-
5 lant, Venez ici! Vite! Viiite! au risque de leur coller une trouille à se faire dessus.

Déjà que le gamin était un peu en vrac, avec une histoire pareille.

Alors que si le père avait tout simplement écrit *En-*
10 *trez, je suis flingué*, comme aurait fait Albert Camus, ça lui aurait évité la surprise, à ce gosse.

On pense pas toujours à tout.

1 **piquer:** hier: einschläfern. • 2 **cintré, e:** tailliert; hier (fam.): verrückt, durchgeknallt. • 4 **rapatrier qn:** jdn. nach Hause bringen; hier etwa: jdn. zusammenscharren. • 5f. **coller une/la trouille à qn** (fam.): jdm. Angst einjagen. • 7 **être en vrac** (fam.): durcheinander sein.

Margueritte, elle a fini de me lire *La Peste* en quelques jours. Enfin, pas tout, bien sûr. Des passages. Et je dois dire que, dans l'ensemble, c'était vachement bien. Avec des personnages complètement tordus, à se de-
5 mander dans quel rade il les avait pêchés, ce Camus. Le type qui s'appelle Grand, par exemple, qui veut écrire un livre, sauf qu'il écrit toujours la même phrase, en changeant deux trois mots, c'est tout. Ça m'a rappelé *Shining*, vous savez: le film avec Jack Ni-
10 cholson. Quand il tape le même truc, des centaines de fois, sur sa vieille machine à écrire, avant de se mettre à défoncer les portes à coups de hache. Ça m'avait drôlement foutu les jetons, ça aussi, comme histoire. Il joue bien les tarés, Nicholson.

15 En tout cas, pour revenir au livre, ce qui est certain, c'est que les jours où Margueritte et moi on se faisait *La Peste*, le temps passait plus vite, autour du banc.

Un jour, elle m'a dit:

– Vous êtes un vrai lecteur, Germain, je le vois bien …

20 Et sur le coup, ça m'a fait rire, parce que les livres et moi, enfin bon, vous savez …

4 **tordu, e** (fam.): schräg, durchgeknallt. • 5 **la rade:** Reede, Vorhafen, Außenhafen. • 9 **»Shining«:** Kinofilm von Stanley Kubrick (1928–99), basierend auf dem Roman von Horrorautor Stephen King (*1947). • 9f. **Nicholson:** Jack Nicholson (*1937), US-amerikanischer Schauspieler und Regisseur. • 12 **défoncer qc:** etwas einschlagen. • **à coup** (m.) **de hâche** (f.): mit Axthieben. • 13 **foutre les jetons à qn** (pop.): jdm. Schiss einjagen (*le jeton:* Marke, Münze). • 15 **revenir à qc:** zu etwas zurückkommen; auf etwas zurückgreifen. • 16 **se faire qc** (fam.): sich etwas reinziehen. • 19 **le lecteur / la lectrice:** Leser(in). • 20 **sur le coup:** auf der Stelle, sofort; im ersten Augenblick.

Seulement elle était sérieuse. Elle m'a expliqué que lire, ça commence par écouter. J'aurais plutôt pensé par lire, justement. Mais elle a dit: non, non, ne croyez pas cela Germain! pour faire aimer la lecture aux petits, il faut leur lire à haute voix. Et elle a ajouté que si on fait ça bien, ça les rend dépendants, après, comme une drogue. Ils ont besoin de livres, après, en grandissant. Ça m'a étonné, mais, en réfléchissant, je me suis dit que c'était pas idiot. Si on m'avait lu des histoires, petit, j'aurais peut-être mis le nez plus souvent dans les livres, au lieu de faire des bêtises, simplement par ennui.

Ce qui fait que le jour où elle m'a donné ce bouquin, ça m'a fait franchement plaisir, même si ça m'a mis la honte, parce que je me disais dans mon for intérieur – *Voir: dans la conscience, au fond de soi-même* – que je le lirais pas, vu que c'était trop long et bien trop compliqué.

Elle me l'a tendu, comme ça, au moment de partir, en disant:

– J'ai noté au crayon les passages que nous avons lus ensemble. Pour mémoire.

J'ai répondu, Merci beaucoup, d'accord. Et que c'était sympa. Et que j'étais content.

Elle a souri.

– C'est à moi que cela fait plaisir, Germain, n'en doutez pas! Il ne faut pas aimer les livres en égoïste. Pas plus les livres qu'autre chose, en fait. Nous ne sommes sur terre que pour être passeurs, voyez-

6 **dépendant, e:** abhängig. • 14 f. **mettre la honte à qn** (fam.): jdn. beschämen (*la honte:* Schande, Schmach; Scham). • 15 f. **le for intérieur:** tiefstes Inneres. • 29 **le passeur:** Fährmann; hier etwa: Überbringer.

vous … Apprendre à partager ses jouets, voilà probablement la leçon la plus importante à retenir, dans la vie … D'ailleurs, je me proposais de vous faire découvrir quelques autres textes que j'aime, à l'occasion. Si
5 vous n'êtes pas fatigué de m'entendre, bien sûr … Vous voudriez?

Il y a des gens, on ne peut pas leur dire non. Elle me regardait, avec ses petits yeux gentils, sa bonne bouille toute fripée de rides, son air bien content de sa blague,
10 comme si elle venait de tirer les sonnettes et de s'échapper en courant. Je me suis dit qu'elle avait dû en faire marcher sur la tête, des hommes, rien qu'en leur demandant seulement, Vous voudriez? comme à moi.

15 J'ai juste hoché la tête. Je me sentais heureux et con, ça va souvent avec, chez moi.

Je l'ai regardée s'en aller dans l'allée. Je suis resté planté là, le bouquin dans les mains. C'était mon premier livre. Je veux dire: le premier qu'on m'offrait en
20 cadeau.

Comme je savais pas quoi en faire, je l'ai posé sur la télé, en rentrant. Mais, le soir, juste au moment d'éteindre, avant d'aller aux plumes, je l'ai regardé. On aurait dit qu'il m'attendait.

25 J'ai encore entendu cette voix dans ma tête.

8 **la bouille** (fam.): Gesicht (*avoir une bonne bouille:* sympathisch, nett aussehen). • 10 **tirer la sonnette:** klingeln, läuten (*la sonnette:* Klingel, Glocke). • 12 **faire marcher qn sur la tête** (loc.): jdm. den Kopf verdrehen. • **rien que de faire qc:** nur indem man etwas tut, allein durch etwas. • 17 f. **rester planté, e là:** wie angewurzelt dastehen (*planter qc:* etwas einpflanzen). • 23 **aller aux plumes** (fam.): ins Bett gehen, in die Federn kriechen (*la plume:* Feder).

Elle me disait *Putain, Germain, fais un effort quand même! C'est qu'un livre.*

Je l'ai pris, et je l'ai ouvert, sans m'arrêter au tout début. J'ai cherché un endroit qu'elle aurait souligné, et j'ai trouvé la phrase: *Le matin du 16 avril, le docteur Bernard Rieux sortit de son cabinet et buta sur un rat mort, au milieu du palier.* Et quand je l'ai trouvée, elle a été plutôt facile à lire, puisque je la savais déjà. Pour me la repérer encore mieux, je l'ai passée au surligneur pour les étiquettes à légumes, quand je vends au marché.

Ensuite, j'ai cherché: *Entrez, je suis pendu.* Ça m'a pris un moment, mais c'était comme un jeu, en fait. Un jeu de piste. Et puis j'ai surligné tout ce qui m'avait plu. Encore aujourd'hui, vous voyez, *La Peste*, c'est un livre que je lis par morceaux de page, seulement. Les autres livres – à part le dictionnaire, que je ne lis pas non plus tout du long – même si c'est dur, même si j'ai du mal, je m'applique. En tout cas j'essaie.

Mais ce bouquin, comment vous dire? … Je le lirai jamais tout à fait en entier.

Parce que la version – *Voir: interprétation* – que je préfère, c'est celle de Margueritte.

1 **faire un effort:** sich anstrengen, bemühen. • 9f. **le surligneur:** Textmarker. • 14 **le jeu de piste** (f.): Schnitzeljagd. • 19 **s'appliquer:** sich anstrengen, bemühen.

Un jour, pas très longtemps après que j'ai eu *La Peste* en cadeau, on était chez Francine, avec Marco et Landremont. On tapait le carton à l'heure des infos. À un moment, ils ont passé un reportage sur un pays, je sais plus bien lequel. Bref, un coin où ça chie pas mal, ces temps-ci, du point de vue des guerres. Ce coup-là, il venait d'y avoir un tremblement de terre, une vraie catastrophe avec des tas de morts – d'après les premières estimations de l'envoyé spécial.

Landremont a dit:

– Putain! Y en a qu'ont vraiment pas de chance, croyez pas?! Faut toujours qu'ils prennent un truc sur la gueule, là-bas! Quand c'est pas des bombes qui leur pleuvent du ciel, c'est leur toit qui s'effondre!

Marco a ajouté:

– Leur manque plus que de choper le choléra …

– Ou la peste, comme à Oran, dans le livre à Camus! j'ai dit.

Landremont m'a regardé d'un air bizarre. Il a ouvert la bouche, sans rien dire, il s'est tourné vers Marco et Julien, puis à nouveau vers moi. Et il a fait, comme ça:

– Tu lis Camus, toi?

– Bah … *La Peste*, c'est tout …

– Ah bon?! … T'as lu *La Peste*, et «c'est tout»?! Tu t'intéresses aux bouquins, maintenant!

5 **où ça chie pas mal** (vulg.): wo es den Leuten dreckig geht. • 9 **une estimation:** Schätzung. • **un/une envoyé(e) spécial(e):** Sonderberichterstatter(in). • 14 **s'effondrer:** zusammenbrechen.

Ça m'a gonflé, cette façon qu'il avait de me dire les choses. J'ai fini mon demi, et je lui ai répondu, en me levant:

– T'en lis bien, toi.

Une fois dehors, j'ai pensé, Toi mon salaud, la prochaine fois je t'en colle une, si tu insistes.

Histoire de lui remettre les idées en place, comme aurait dit ma mère. Et, vu que je pensais à elle, je me suis dit qu'il serait temps d'aller la voir de son vivant, un de ces jours.

6 **en coller une à qn** (fam.): jdm. eine knallen. • 7 **remettre les idées en place à qn** (loc.): jdm. die Flausen austreiben, jdn. auf den Boden der Tatsachen zurückbringen. • 9 **de son vivant:** solange jd. noch lebt, zu Lebzeiten.

Ma mère vit à trente mètres de moi. Elle, dans sa maison, et moi, dans le jardin. Enfin, bon, dans la caravane. Pourtant y a pas plus loin que nous deux, quand j'y pense.

5 J'aurais bien pu me chercher une piaule, mais ça m'aurait apporté quoi? J'ai pas besoin de place, à part celle du lit, un coin pour me poser et me faire la bouffe. L'espace, j'en prends déjà bien assez comme ça. On me dit qu'une caravane, vu mon encombrement, ça doit faire petit. Mais depuis que je suis gamin, je me cogne partout, j'ai toujours été bien trop grand pour ma taille. Annette, elle me trouve magnifique. Seulement, depuis quand on peut croire une femme amoureuse? Vous savez comme elles sont: elles vous voient toujours le plus beau, le plus fort. Il paraît que les mères aussi, elles auraient tendance. Celles qui ont la fibre, en tout cas.

Je suis resté ici à cause de mon potager. C'est moi qui l'ai fait, moi tout seul. J'ai retourné le terrain à la bêche et c'est pas un boulot de fainéant, croyez-moi. J'ai construit la barrière avec le portillon, la cabane à outils, la serre. C'est mon gosse. C'est con de dire ça peut-être. Je m'en fous. Sans moi, il serait pas au

5 **la piaule** (fam.): ‚Bude'. • 9f. **un encombrement:** Überladung; hier etwa: Platzbedarf aufgrund des Körperumfangs. • 11 **se cogner:** sich anstoßen, gegen etw. stoßen. • 18 **le potager:** Gemüsegarten. • 19 **retourner:** hier: umgraben. • 20 **le fainéant / la fainéante:** Faulenzer(in); Faulpelz. • 21 **la barrière:** Zaun, Absperrung (*barrer:* sperren; [aus-] streichen). • **le portillon:** (Garten-)Türchen. • 21f. **la cabane à outils** (m.): Werkzeugschuppen. • 22 **la serre:** Gewächs-, Treibhaus.

monde. Je fais un peu de tout, carottes, navets, blettes, patates, poireaux. De la salade: laitues, frisées, romaines, un peu de batavias. Et des tomates aussi, surtout de la Cœur-de-bœuf et de la Noire de Crimée, en plus de la Marmande. Enfin, c'est suivant les saisons et l'envie. Et puis je mets des fleurs pour la présentation. Quand je l'ai débuté, ce jardin, j'étais jeune. Je sais plus bien, douze ou treize ans?

Ma mère me gueulait dessus comme un putois en disant que voilà, c'était devenu un chantier, sa pelouse. Sa «pelouse»? Tu parles! Un terrain vague, oui!

Maintenant, elle ne dit plus rien. Seulement elle vient me piquer des légumes, à peine j'ai le dos tourné. Au début je râlais mais, au fond, je m'en tape. J'en ai dix fois trop, des légumes. Je vais même en vendre au marché, quelquefois. Et puis, ça lui fait faire un peu d'exercice, à ma mère, l'aller-retour en portant son panier. Elle en a bien besoin, elle souffle comme un phoque, elle partira du cœur ou des bronches. Ou des deux. Pour la tête, c'est déjà fait. Mais la tête, c'est pas mortel: même quand ça s'en va, on reste. Tant pis pour ceux autour.

1 **le navet:** weiße Rübe. • **la blette:** Mangold. • 2 **le poireau:** Lauch, Porree. • **la laitue:** Kopfsalat. • **la frisée:** Friseesalat. • 2f. **la romaine:** Romanasalat. • 3 **la batavia:** Bataviasalat, Roter Kopfsalat. • 4 **la Cœur de bœuf:** Rinderherz-Tomate, besonders dicke Fleischtomate. • **la Noire de Crimée:** dunkelrote bis braunrote mittelgroße Fleischtomate. • 5 **la Marmande:** plattrunde, gerippte Fleischtomate. • **suivant:** je nach, entsprechend. • 9 **gueuler (crier) comme un putois** (loc.): wie am Spieß schreien; lautstark protestieren (*le putois:* Iltis). • 13 **piquer qc** (fam.): etwas klauen, stibitzen. • 14 **râler** (fam.): meckern, motzen. • 17 **un exercice:** hier: Sport, Bewegung. • 18 **le panier:** Korb. • 18f. **souffler comme un phoque** (loc.): wie ein Walross schnaufen (*le phoque:* Seehund, Robbe).

Le jour où j'ai dit à ma mère que j'allais m'installer au fond du terrain, dans la caravane, elle m'a regardé comme si j'étais fou. Elle a fait:

– T'as rien trouvé de mieux, pour nous faire mal
5 voir des voisins?

J'ai répondu sans m'énerver:

– Les voisins, j'en ai rien à cirer! Et je vois pas pourquoi ça les dérangerait! Le jardin, c'est chez nous …

Elle s'est laissée tomber sur le divan. Elle a respiré
10 fort, la main sur la poitrine.

– Mais qu'est-ce que j'ai fait au Bon Dieu, pour avoir un fils comme toi?!

– Au Bon Dieu, rien! j'ai dit.

– Ah, va-t'en, tiens! Tu me fatigues! Va dans ta ca-
15 ravane, va!

Je l'ai plantée là sans répondre et sans me retourner.

7 **n'avoir rien à cirer de qc** (fam.): auf etwas pfeifen. • 16 **planter qn** (fam.): jdn. stehenlassen.

J'aime bien cette caravane. Je l'ai repeinte en blanc, j'ai bâti un auvent par-dessus, pour faire courir une vigne. Ça me garde le frais en été, ça me sert de gouttière à la saison des pluies. Elle ne m'appartient pas, mais ça m'étonnerait beaucoup que son proprio vienne pour la reprendre. Pas s'il tient à ses burnes, en tout cas.

Gardini, il s'appelle. Jean-Michel Gardini.

Il s'est pointé, un jour, à la maison. J'étais encore gamin, dans les neuf ou dix ans, peut-être. Guère plus. Ce qui est sûr, c'est que je n'avais pas commencé mon potager, et que j'allais à peu près à l'école. Ça me fait deux repères.

Ce type a débarqué un matin, et il a demandé à ma mère s'il ne pourrait pas mettre sa caravane chez nous, vu qu'il était ici pour deux semaines, «pour affaires».

Je ne sais pas pour vous, mais moi, un mec qui dort dans une Eriba Puck et qui vient raconter qu'il est là pour affaires, ça me sème le trouble. Enfin, ça me le sèmerait aujourd'hui, parce qu'à l'époque rien ne me paraissait bizarre ou étonnant, vu que j'étais petit.

2 **un auvent:** Vordach, Vorzelt. • **faire courir qc:** hier: etwas entlangwachsen lassen. • 3 f. **la gouttière:** Dach-, Regenrinne. • 5 **le/la proprio** (fam.): *le/la propriétaire.* • 13 **le repère:** Anhaltspunkt, Orientierungspunkt (*repérer:* ausfindig machen). • 14 **débarquer** (fam.): aufkreuzen. • 19 **une Eriba Puck:** Wohnanhänger (Produkt- und Markenname). • 20 **semer le trouble à qn** (fam.): jdm. spanisch vorkommen (*le trouble:* Aufregung, Verwirrung, Unruhe).

En fait d'affaires, il vendait des bijoux en toc sur les marchés, on l'a su après.

Bref, le voilà qui explique à ma mère qu'on lui a parlé de notre grand terrain, à la mairie, et qu'il lui en
5 louerait bien un morceau, le temps qu'il sera là. Et puis que, tant qu'à y être, si elle pouvait lui faire la cuisine, le midi, il la paierait aussi pour ça.

À l'époque, ma mère tirait un peu le diable par la queue, à défaut d'autre chose. Elle faisait des petits
10 boulots de-ci, de-là, mais rien de rare. Alors, pouvoir louer un bout de friche qui servait à personne – sauf à moi pour jouer, mais moi je comptais pas – et prendre un demi-pensionnaire au noir, net de déclaration d'impôts, ça l'a fait réfléchir. Pas longtemps.

15 Je crois bien qu'elle avait dit oui avant qu'il ait fini sa phrase.

Ce Gardini, je l'ai détesté tout de suite, avec sa gueule de faux derche. Il était fringué comme un prétentieux, costards cintrés, chemises à rayures. Les che-
20 veux trop longs dans le cou, des pellicules. Il se donnait peut-être un genre, mais c'était rien qu'un trou du cul, et je m'y connaissais déjà. L'avoir juste en face de moi matin, midi et soir, c'était trop. Il mangeait

1 **les bijoux** (m.) **en toc** (m.): Modeschmuck (*en toc:* falsch, unecht, wertlos). • 6 **tant qu'à y être** (fam.): wenn man schon mal dabei ist. • 8f. **tirer le diable par la queue** (loc.): am Hungertuch nagen (*la queue:* Schwanz, Schweif). • 9 **à défaut** (m.) **de:** mangels. • 13 **au noir:** schwarz. • **être net, te de qc** (fam.): ohne, frei von etwas sein. • 18 **le faux derche** (fam.): hinterhältiger Hund (*le derche*, arg.: Hintern, Arsch). • **être fringué, e** (fam.): gekleidet sein. • 18f. **le prétentieux / la prétentieuse:** eingebildete Person, Eingebildete(r). • 19 **le costard** (fam.): Anzug. • **la rayure:** Streifen (*rayé, e:* gestreift). • 20 **les pellicules** (f.): (Kopf-)Schuppen. • 20f. **se donner un genre:** etwa: sich Allüren geben. • 21f. **le trou du cul** (vulg.): Arschloch.

comme un dégueulasse. Il ne se lavait jamais les mains quand il sortait des chiottes, mais ça le gênait pas pour se servir du pain dans la corbeille, non! Il parlait tout le temps la bouche pleine, et moi je passais mon repas à calculer les trajectoires – *Ligne (parabole) décrite par un projectile, après sa projection* – pour éviter d'avoir des bateaux dans mon verre.

Ma mère m'engueulait:

– Germain, arrête de te trémousser, mais qu'est-ce que tu as enfin, à cramponner ce verre, tu peux pas le lâcher? On ne va pas te le voler! Ah, les enfants! ... Vous ne pouvez pas savoir, monsieur Gardini!

– Appelez-moi Jean-Mi, madame Chazes. Tous mes amis m'appellent Jean-Mi!

– Je n'oserai jamais ...

– Même si je vous le demandais?

– ... Bon ... Si vous me dites Jacqueline, alors ... Tu vas t'en prendre une, Germain.

– Jacqueline? Ça fait «câline» ... Ça vous va bien ... Vous devez être fière d'un joli prénom comme ça!

– Oh, c'est bien vrai!

Première nouvelle, vu qu'elle passait son temps à dire à ses copines:

– Jacqueline, ça fait rombière! Je préfère Jackie ...

Et l'autre con, à lui faire des ronds de jambe, à lui

1 **le/la dégueulasse** (fam.): Ekelpaket, ‚Schwein' (*dégueulasse*, fam: ekelhaft, widerlich). • 5 **la trajectoire:** Flugbahn, Kurs. • **décrire:** hier: zurücklegen. • 6 **le projectile:** (Wurf-)Geschoss (*la projection:* Wurf, Projektion). • 9 **se trémousser:** herumhampeln, zappeln. • 10 **cramponner qc:** etwas fest umklammern. • 18 **s'en prendre une** (fam.): sich eine fangen. • 22 **première nouvelle:** das ist ja ganz was Neues! • 24 **la rombière** (fam.): alte Schachtel. • 25 **faire des ronds** (m.) **de jambe** (f.; loc.): Höflichkeiten von sich geben.

répéter qu'elle cuisinait comme une reine, et qu'elle devrait avoir des étoiles au Michelin … Qu'on devrait la classer dans les dix merveilles du monde. Et passez-moi la brosse, et voilà le chiffon … Bref, au bout de 5 quelques jours, ils se mangeaient des yeux pendant tout le repas, ils ne se parlaient presque plus. Au début, j'étais plutôt content, plus besoin de garder les buts devant mon assiette et mon verre. Mais j'avais beau être minot, j'étais pas pour autant aveugle. 10 Quand ma mère se levait de table pour aller chercher le pain ou remplir le pichet, j'avais bien remarqué que Gardini la suivait de l'œil, avec un air malheureux de clébard qui voit s'éloigner sa gamelle. Et puis qu'il la matait surtout sous la ligne de flottaison.

15 De temps en temps, juste après le fromage, il se mettait à gigoter sur sa chaise comme un grain de maïs qui aurait le cul posé sur la plaque du four. Enfin, il disait:

– J'ai ramené de jolies choses, de mon usine de Pa-20 ris. Vous voudriez voir?

– Ce serait avec plaisir mais, vous savez, Jean-Mi, je n'ai pas les moyens …

– Juste pour le bonheur des yeux …

2 **une étoile Michelin:** Der Hotel-, Restaurant- und Reiseführer *Guide Michelin* vergibt jährlich einen bis drei Sterne für besonders gute Restaurants. • 3 **la merveille du monde:** Weltwunder. • 5 **se manger des yeux** (m.; loc.): die Blicke nicht mehr voneinander lassen können. • 7 f. **garder les buts** (m.): das Tor hüten; hier (fam.): das Glas vor Spucke und Essensresten schützen. • 9 **pas pour autant:** noch lange nicht. • 11 **le pichet:** Krug, Kanne. • 13 **s'éloigner:** sich entfernen. • **la gamelle:** (Futter-)Napf. • 14 **mater qn:** jdn. matt setzen, bezwingen; hier (arg.): jdn. anglotzen, nach jdm. schielen. • **la ligne de flottaison** (f.): Wasserlinie; hier (fig.): Gürtellinie (*flotter:* schwimmen). • 16 **gigoter** (fam.): herumzappeln; strampeln. • 17 **la plaque du four:** Herdplatte.

Ma mère répondait:
– Ah, dans ce cas! …
L'autre filait aussi sec jusqu'au fond du terrain, au pas de course. Il revenait avec une grosse valise mar-
5 quée *Brotard et Gardini – Au vrai chic de Paris – Colifichets, Parures* qu'il trimballait tout le temps à l'arrière de sa Simca.
Pendant ce temps, ma mère avait débarrassé. Gardini posait sa valoche sur la table. Il commençait à lui
10 faire l'article, en déballant ses merdes de bazar.
– Tenez, essayez-moi ce collier. C'est du plaqué argent véritable, regardez le poinçon! Essayez donc! Mais si, juste pour voir … Il mettrait si bien votre gorge en valeur.
15 Moi je me demandais pourquoi il parlait de sa gorge, vu que c'était jamais des ras-de-cou, mais plutôt des sautoirs qui tombaient sur ses seins.
Gardini était bien serviable, en tout cas. Il lui passait derrière, en se collant contre elle.
20 – Attendez, Jacqueline, attendez, je vais vous le mettre! …
Ça semblait difficile, parce qu'il s'escrimait un mo-

3 **filer sec** (fam.): abrupt verschwinden. • 3 f. **au pas de course** (f.): im Laufschritt. • 5 f. **le colifichet:** hübsche Kleinigkeit, Tand, Firlefanz. • 6 **la parure:** Schmuck, Geschmeide. • **trimballer** (fam.): herumschleppen, mit sich führen. • 7 **la Simca:** Simca (Produkt- und Markenname); französischer Automobilhersteller *Société Industrielle de Mécanique et Carosserie Automobile.* • 8 **débarasser (la table):** (den Tisch) abräumen. • 9 **la valoche** (fam.): *la valise.* • 10 **déballer:** auspacken. • 11 f. **(en) plaqué argent:** versilbert. • 12 **le poinçon:** Stempel; Radiernadel. • 13 f. **mettre qc en valeur** (f.): etwas zur Geltung bringen, betonen. • 16 **le ras-de-cou** (m.): halsnahe Kette. • 17 **le sautoir:** lange Halskette, die über die Brust getragen wird. • 18 **serviable:** hilfsbereit. • 22 **s'escrimer:** sich abmühen, abplagen.

ment, dans son dos. Ma mère gloussait fort. L'autre devenait rouge, il parlait d'une voix drôlement enrouée.

Ma mère finissait par me dire:

5 – Ah mais dis donc, c'est l'heure de l'école, Germain!

Ce qui était déjà louche de sa part, vu que, en temps normal, elle n'en avait rien à foutre que j'aille à l'école ou pas. Et puis elle ajoutait, d'une drôle de voix gen-10 tille:

– Allez, allez, ne va pas te mettre en retard!

Et moi, je me disais: les femmes, elles sont tarées, il suffit d'un collier, ça leur change l'humeur!

Ça n'a pas de vice, les mômes.

1 **glousser:** glucksen; hier (fig.): kichern. • 2f. **enroué, e:** heiser, belegt. • 7 **louche:** dubios, suspekt. • 11 **se mettre en retard** (m.): sich verspäten. • 14 **le vice:** Laster, Perversion (*vicieux, -euse:* pervers, lüstern, unsittlich).

Ce Gardini, il a vite fini par se taper l'incruste. Il venait quinze jours, il en repartait trois, il revenait, ainsi de suite. Il allongeait ses jambes de plus en plus loin sous la table, il se vautrait de plus en plus au fond du 5 canapé. Il avait décidé de me reprendre en main, comme il disait.

Il s'est mis à me donner des ordres, Range ta chambre, mets la table, me saoule pas, va te coucher. Et puis à tutoyer ma mère et à se lâcher avec elle, 10 dans la foulée, T'as trop salé la daube, amène une canette, et ce café, ça vient?

Ma mère, c'est la bonne pouliche, d'accord, seulement faut pas lui tirer sur le mors. Dans la famille on est sanguin. Je sais pas si je vous l'ai dit: ma stature, je 15 la tiens d'elle. Elle est taillée un peu plus féminin, bien sûr. Mais, en proportion, pas des masses. Gardini, il lui arrivait seulement à l'oreille, ce qui n'est pas bien haut quand on veut dominer.

Bref, ce qui doit arriver arrive. C'est la loi du destin,

1 **se taper l'incruste** (f.; fam.): sich einnisten. • 2f. **ainsi de suite** (f.): und so weiter. • 3 **allonger:** ausstrecken. • 4 **se vautrer:** sich flegeln, lümmeln, wälzen. • 8 **saouler qn** (fam.): jdm. auf die Nerven gehen. • 9 **se lâcher avec qn** (fam.): etwa: seinen Frust an jdm. auslassen. • 10 **dans la foulée:** im gleichen Aufwasch (*la foulée:* Schritt, Laufstil). • **la daube:** Schmorbraten. • 12 **être une bonne pouliche** (fam.): gutmütig sein (*la pouliche:* junge Stute, Stutenfohlen). • 13 **tirer sur les mors de qn** (fam.): es zu weit treiben (*le mors:* Gebissstange, Kandare). • 14 **sanguin, e:** sanguinisch, von hitzigem Gemüt (*le sang:* Blut). • 16 **pas des masses** (f.; fam.): nicht viel; hier: kein großer Unterschied. • 17 **arriver à ...:** bis zu ... reichen. • 17f. **pas bien haut** (fam.): nicht sehr hoch. • 19 **le destin:** Schicksal.

et cette loi, j'ai remarqué qu'elle vaut pour les emmerdes aussi.

Un soir, je sais plus bien le motif du prétexte, il m'a balancé une beigne. Si ma mère avait pas la fibre, elle avait bien le sens de la propriété. La seule à pouvoir torgnoler son fils, c'était elle. Elle a dit:

– Tu ne frappes pas ce gamin!

– Ta gueule! il a fait, l'autre.

– Hein? Quoi? Comment? a fait ma mère. Qu'est-ce que tu m'as dit, là?

– T'as très bien entendu! Et viens pas me casser les couilles, je regarde le match!

Ma mère a éteint la télé. L'autre a gueulé:

– Rallume ça, bordel!

– Non! elle a dit, ma mère.

Gardini a perdu la tête, il s'est levé en disant:

– Ah, nom de Dieu! Tu l'auras cherché, toi aussi!

Il a giflé ma mère, pif paf, aller-retour. Ça, c'était une erreur.

Ma mère est devenue toute blanche, elle est sortie sans dire un mot, elle a filé droit au garage.

Elle est revenue avec une fourche. Et ma mère avec une fourche, ça prête pas à rigoler. Surtout quand elle vous la pointe sur le ventre, en disant d'une voix patiente:

1 **valoir pour qc:** für etwas gelten. • 3f. **balancer une beigne à qn** (fam.): jdm. eine Ohrfeige verpassen. • 6 **torgnoler qn** (fam.): jdn. ohrfeigen. • 8 **ta gueule!** (fam.): Schnauze! • 14 **bordel!** (fam.): verdammt nochmal! • 16 **perdre la tête** (loc.): den Verstand verlieren, durchdrehen. • 17 **nom de Dieu!:** Herrgott nochmal! • **tu l'auras cherché:** du hast es nicht anders gewollt. • 21 **droit:** schnurstracks. • 22 **la fourche:** Mistgabel. • 23 **prêter à faire qc:** Anlass geben etwas zu tun. • 24 **pointer sur qc:** auf etwas richten.

– Tu prends tes cliques et tes claques et tu t'en vas.
Gardini a voulu rouler des mécaniques. Il s'est avancé, la main levée, vachement menaçant, le genre, De
5 quoi, t'en veux une autre, t'as pas eu ta comptée?
Ma mère l'a piqué – chtac! – dans le gras de la cuisse. Un petit coup bien sec, comme à la corrida. L'autre s'est mis à saigner, en hurlant:
– Oh-putain-enculé! Tu es folle?!
10 Ma mère a répondu:
– Faut croire.
Puis elle a ajouté:
– Je compte jusqu'à trois. Un …
Gardini a chopé les clefs de sa Simca sur le buffet, il
15 a boité à reculons vers la porte en disant:
– Réfléchis, Jacqueline! Réfléchis bien! Si je quitte cette maison, tu ne me revois plus.
– C'est déjà réfléchi. Deux …
– Je te pardonne!
20 Ma mère a relevé la fourche, elle a visé un poil plus haut. Elle a fait:
– Trois …
L'autre a redit deux trois fois Oh-putain-enculé! – dans l'ordre et le désordre –, et puis il s'est barré en
25 courant dans l'allée.

1 **prendre ses cliques** (f.) **et ses claques** (f.; loc.): seine Siebensachen zusammenpacken. • 3 **rouler des mécaniques** (f.; loc.): sich aufplustern, den starken Mann spielen. • 5 **avoir sa comptée** (auch: *son compte*) (fam.): genug haben. • 6 **chtac!:** zack! • **le gras de la cuisse:** oberster Teil des Oberschenkels. • 9 **enculé!** (fam.): verdammte Scheiße! • 11 **faut croire** (fam.): so sollte man meinen. • 15 **boiter:** hinken, humpeln. • **à reculons:** rückwärts (*reculer:* zurückweichen; aufschieben). • 24 **se barrer** (fam.): abhauen, verduften.

Il s'est mis au volant de sa bagnole, il lui a montré le poing en gueulant, Ça va pas se passer comme ça! et il a démarré en trombe, en nous laissant sa caravane, vu que ce matin-là, elle était dételée.

5 Quelques jours après, monsieur Saunier – le maire de l'époque – est passé voir ma mère.

– Dis-moi, je viens te voir parce qu'un certain Gardini a téléphoné à la mairie, à propos d'une caravane que tu détiendrais apparemment de façon arbi-
10 traire.

– Exact.

– Il voudrait la récupérer.

– Qu'il vienne, a dit ma mère. Il sera bien reçu.

– Tu m'as l'air hostile, Jackie. Tu as des griefs? a
15 demandé le maire.

Ma mère a répondu:

– Il tape sur mon gamin.

– Ah! … a dit le maire.

– Et sur moi.

20 – Oh? …

– Qu'est-ce que tu comptes faire? M'envoyer le garde?

– Bah, pourquoi?! … Tu m'as dit que ce monsieur serait bien reçu s'il venait, non?

25 – C'est ce que j'ai dit.

3 **démarrer en trombe** (fam.): davonbrausen (*la trombe:* Wolkenbruch). • 4 **dételer:** abspannen, abkoppeln, abkuppeln. • 9 **détenir:** im Besitz sein, besitzen. • **apparamment:** anscheinend, offenbar. • 9 f. **arbitraire:** willkürlich; hier etwa: unerlaubt. • 12 **récupérer:** wiederbekommen, zurückholen. • 14 **hostile:** feindselig, feindlich gesonnen, ablehnend. • **le grief:** Grund zur Klage, Anlass zur Beschwerde. • 22 **le garde:** Bewacher, Wächter; hier: Ortspolizist.

– Tu n'as pas proféré de menaces à son encontre, devant moi?

– Aucune.

– Dans ce cas, c'est une affaire personnelle. Elle ne regarde pas la police municipale. Tu as tout à fait le droit de *bien recevoir* un ami.

– C'est juste, a dit ma mère. On est en république.

– Eh bien c'est tout, alors. Ah, non, tant que j'y pense, avant de repartir ... Tu n'aurais pas une fourche, des fois?

– Dans le garage.

– Tu me la prêterais, disons, deux ou trois mois?

L'autre péteux nous a téléphoné tous les soirs, pendant quelques semaines, pour menacer ma mère. Et puis de moins en moins. Plus du tout, pour finir.

– Mais Jackie, qu'est-ce que tu feras, s'il revient? demandaient les voisines.

Ma mère répondait:

– Du vilain.

C'est pas trop quelqu'un d'expansif.

1 **proférer qc:** etwas ausstoßen, äußern. • **à l'encontre de qn:** jdm. gegenüber. • 5 **regarder qn:** hier: jdn. etwas angehen. • **la police municipale:** Ortspolizei. • 10 **des fois** (f.; fam.): zufällig. • 13 **le péteux / la péteuse** (fam.): Angsthase, Hasenfuß. • 19 **du vilain** (fam.): etwa: Hackfleisch (*vilain, e:* unartig, böse, unanständig). • 20 **expansif, -ive:** mitteilsam, gesprächig.

Cette caravane, elle m'a d'abord servi de cabane à jouer, et puis de baisodrome et c'était bien pratique. Et finalement, un jour, j'ai décidé d'en faire mon domicile principal.

5 Faut dire que ma mère devenait insupportable.

Elle partait de plus en plus en vrille, à soixante-trois ans si c'est pas malheureux. Elle ne parlait plus qu'à son chat, et encore, pour rabâcher. Elle ne s'intéressait plus à rien à part ses magazines, à passer des jour-
10 nées entières à découper des photos d'acteurs américains pour les coller dans nos albums à la place de la famille. J'ai déjà pas beaucoup de souvenirs, et le peu que j'ai, j'y tiens guère, mais franchement ça me foutait les boules – pour parler poliment – de voir Tom
15 Cruise ou Robert de Niro à la place de mon grand-père ou de mon oncle Georges.

Quand je lui demandais pourquoi elle faisait ça, elle disait:

– J'en ai marre de voir sa gueule de raie.

20 – C'est de tonton ou de grand-père que tu parles?

– Des deux. Il n'y en a pas un pour racheter l'autre, tous des connards.

2 **le baisodrome** (vulg.): Fickhöhle, Absteige (zum Bumsen). • 5 **insupportable:** unerträglich. • 6 **partir en vrille** (fam.): durchdrehen (*la vrille:* Nagelbohrer; Schraube; Ranke). • 8 **rabâcher:** ständig dasselbe wiederholen. • 13 **tenir à qc:** an etwas hängen, auf etwas Wert legen. • 13 f. **foutre les boules** (f.) **à qn** (fam.): jdm. Angst machen. • 19 **sa gueule de raie** (fam.): seine hässliche Visage (*la raie:* Rochen). • 20 **le tonton** (enf.): Onkel (*la tata*, enf.: Tante). • 21 **racheter qn:** hier: (die Sünden einer Person) reinwaschen, wiedergutmachen.

J'en étais arrivé à me dire que les parents sont faits pour être abandonnés le plus vite qu'on peut. Que le Seigneur pardonne autant d'ingratitude seulement, Lui, Sa mère était une sainte. Alors Il ne peut vrai-
5 ment pas comparer.

Moi, je parle de gens normaux dans le genre taré comme l'était ma vieille.

Dans la nature on n'a pas ces problèmes. Quand les moineaux sortent du nid, ils ne reviennent pas bouffer
10 tous les week-ends, ensuite – que je sache. Et les parents moineaux ne leur cassent pas les burettes à leur dire Mais t'as vu l'heure, enfin! Où t'étais? Essuie tes pattes avant d'entrer! Les animaux sont plus malins que nous, même si c'est des bêtes.

15 Bien sûr, c'était à moi de m'en aller, de la quitter, ma mère. Mais vu qu'elle paraissait en mauvaise santé, j'ai attendu un peu, pour voir. Des fois que la maison se libère. En plus, je vous l'ai dit, j'avais mon potager. Un jardin, au cas où vous n'en auriez pas l'expé-
20 rience, je peux vous dire: ça vous retient bien plus qu'un foutu cordon ombilical de merde. Si je peux m'exprimer ainsi en parlant d'un lien familial – autant dire sacré –, que le Seigneur ne m'en tienne pas compte dans la note.

25 Pourtant, Julien, il dit souvent:

– T'as beau faire, Germain, ta mère c'est ta mère.

3 **une ingratitude:** Undankbarkeit (*ingrat, e:* undankbar, schwierig). • 9 **le moineau:** Spatz. • 11 **casser les burettes à qn** (pop.): jdm. auf die Nerven gehen (*les burettes*, f.; pop.: ‚Sack', ‚Eier'). • 17 **des fois que** (f.; fam.): falls. • 21 **un/une foutu(e) …** (fam.): ein(e) verdammte(r) … • **le cordon ombilical:** Nabelschnur. • 22 f. **autant dire:** so gut wie, im Grunde, praktisch.

On n'en a qu'une dans la vie. Le jour où elle s'en ira, tu seras le premier à chialer, tu verras!

Et moi, ça me brasse l'humeur.

Chialer après ma mère? Ah, ça me ferait mal! je pensais. Elle m'a juste pondu, et encore, seulement parce qu'elle n'a pas pu me décrocher d'où j'étais embusqué, et qu'une fois entré, fallait bien que j'en sorte. Et il faudrait que je la pleure?

Elle serait où, la justice?

Aujourd'hui, je sais qu'on peut pas toujours tout expliquer.

Par exemple, les sentiments, qui sont souvent des choses irrationnelles – *Voir: anormal, fou, gratuit.* Ma mère était comme un caillou pointu dans ma chaussure. Une chose pas vraiment grave, mais qui suffit quand même à vous pourrir la vie.

Donc, un matin, j'ai décidé de partir de chez moi. Ce qui m'a fait déborder le trop-plein, c'est quand je l'ai vue, toute seule dans la cuisine, en train d'engueuler les fourmis parce qu'elles allaient lui laisser des traces de pattes sur l'évier.

Là oui, là, je me suis dit qu'elle venait de passer la mesure du comble.

3 **brasser l'humeur** (f.) **de qn** (fam.): jdm. die Laune verderben (*brasser:* brauen; umrühren). • 5 **pondre:** ein Ei legen; hier (fam.): auf die Welt bringen. • 6 **décrocher:** abhängen; hier: entfernen. • 6 f. **être embusqué, e:** im Hinterhalt lauern. • 8 **pleurer qn:** um jdn. trauern, jdn. beweinen, beklagen. • 13 **gratuit, e:** hier: willkürlich. • 14 **le caillou:** Kieselstein, Stein(chen). • 18 **faire déborder le trop-plein** (loc.): das Fass zum Überlaufen bringen (*le trop-plein:* Überlaufbecken). • 21 **un évier:** Spülbecken. • 22 f. **passer la mesure du comble:** das absolute Limit überschreiten (*le comble:* Gipfel).

J'ai pensé, Qu'elle crève! Cette fois, je me taille, c'est bon.

Ça m'a pris d'un seul coup de tête, pareil qu'une envie de pisser, avec la même conséquence qui a été
5 de sentir un grand soulagement, une fois chose faite.

Le soir, j'en ai parlé à mes potes, au bistrot. J'étais content. J'ai dit:

– J'ai foutu le camp de chez moi!

Landremont a levé les bras au ciel, il a fait:

10 – Oh putain! Un miracle! Alors, ça y est, tu as fini par te décider?

– Ouais, j'ai fait.

– Et tu vas dormir où?

– Dans la caravane.

15 Julien a répété:

– Dans la caravane? ... Ah ben ouais, ma foi, c'est pas con! J'aurais pas cru qu'elle roulait encore, mais bon ... Tu vas la garer où? Au camping?

– Je vais la garer nulle part. Je la laisse où elle est.

20 Jojo a rigolé et Landremont s'est pris le front entre les mains.

Julien a dit:

– Oh? ... Si je comprends bien, tu es parti de chez toi pour aller t'installer au fond de ton terrain, c'est
25 ça?

– Oui, pourquoi?

Julien a secoué la tête. Marco a dit:

2 **c'est bon!:** das reicht!, schon gut! • 3 **prendre qn:** jdn. überkommen. • **le coup de tête** (f.): Laune. • 5 **le soulagement:** Erleichterung. • 8 **foutre le camp** (fam.): abhauen, sich verpissen. • 16 **ma foi:** na ja, na dann (*la foi:* Glaube, Vertrauen).

– C'est qu'il est drôlement affranchi, ce Germain, maintenant! …

Landremont s'est marré. Il a dit:

– Affranchi, peut-être pas. Mais timbré, ça fait aucun doute!

Ils ont tous rigolé, surtout moi. C'est ma façon de m'en tirer, quand je ne vois pas le rapport. Mais franchement, j'y ai repensé longtemps, le soir, en faisant ma tambouille. Je ne voyais pas trop ce qui les faisait marrer, ces cons-là. Où était le problème, que je me barre de ma piaule pour aller dans l'Eriba Puck? La distance, elle est dans la tête. Aller dans le fond du jardin, c'était pour ainsi dire un geste *symbolique*. C'est ce que je leur aurais expliqué, si j'avais pu avoir ce mot-là sous la main. Je leur aurais dit ça, oui, exactement ça.

La caravane, elle était symbolique.

Et en plus, elle était pratique, rapport à la proximité.

1 **être affranchi, e:** selbstbewusst sein. • 4 **être timbré, e** (fam.): übergeschnappt, bekloppt sein. • 7 **s'en tirer:** (ohne Schaden) davonkommen. • 8f. **faire sa tambouille** (fam.): kochen (*la tambouille*, fam.: Fraß). • 18 **rapport à** (fam.): *par rapport à:* im Hinblick auf, hinsichtlich.

Une fois – je sais plus bien pourquoi – Margueritte m'a demandé:

– Avez-vous toujours votre mère, Germain?

– Eh ouais, toujours! j'ai fait.

5 J'aurais bien ajouté: pas de bol! Mais je me suis dit que Margueritte ne comprendrait sûrement pas ce genre de choses. Surtout qu'à ce moment-là elle a soupiré:

– Ah, vous avez bien de la chance …

10 Qu'est-ce qu'on peut répondre à ça?

C'est sûr que vu son âge, Margueritte, elle l'avait sûrement perdue depuis longtemps, la sienne. J'ai pensé peut-être ça lui manque, après tout. Peut-être que les vieux sont orphelins aussi, quand ils perdent
15 leur mère.

Il devait y avoir de ça, parce qu'elle a tenu à me commencer un bouquin «qui décrit un amour maternel magnifique. Vous verrez, c'est absolument bouleversant …»

20 *La Promesse de l'aube*, ça s'appelle.

Au début je n'ai pas trop compris ces histoires de dieux avec des noms bizarres, Totoche et je sais plus trop quoi. Ensuite, ça m'a plutôt bien accroché quand le héros parle de cette vocation qu'il a eue à treize
25 ans, sauf que lui c'était pas les vitraux, c'était faire

5 **pas de bol!:** dumm gelaufen!, Pech gehabt! (*le bol:* Trinkschale; fam. Glück, ‚Schwein'). • 18f. **bouleverser:** erschüttern, überwältigen. • 20 **une aube:** Tagesanbruch, Dämmerung, Morgengrauen. • 23 **accrocher qn** (fam.): jdn. in den Bann ziehen.

écrivain, mais c'est quand même un métier qui est pas plus con qu'un autre.

Margueritte m'en a lu encore un petit bout.

Je lui ai dit, C'est pas mal comme histoire inventée.

5 Elle a secoué la tête, elle a dit:

– En fait, c'est une autobiographie!

– Ben oui.

– Autrement dit, l'auteur parle vraiment de son enfance, de sa mère, de lui, de la guerre, lorsqu'il était 10 dans l'aviation. Il parle de sa vie.

– Ho?

– Si, je vous assure … Il décrit ce qu'il a vécu, ce qu'il a ressenti …

– Même quand il parle de gueuler comme un chien 15 sur sa tombe?

– … Comme un chien sur …? … Je ne vois pas ce que … Ah, mais si! Je crois me rappeler … Je pense même que c'est dans ces termes qu'il … Attendez, attendez, il faut que je vérifie …

20 Elle passait les pages de son livre, de la tranche du pouce, frrrt! comme un joueur de cartes.

Moi je pensais, Elle se la pète, c'est pas possible de lire aussi vite, sans même ouvrir le livre en grand. Eh ben si! Elle a freiné d'un coup, elle m'a dit:

25 – Ah! J'y suis! *On revient toujours gueuler sur la tombe de sa mère comme un chien abandonné!* Eh oui, en effet … Germain, je suis impressionnée, vous avez une excellente mémoire auditive!

10 **une aviation:** Luftfahrt, Flugwesen (*un aviateur / une aviatrice:* Flugpilot[in]). • 20 **la tranche:** hier: Rand, Kante. • 22 **se la péter** (fam.): angeben (*péter qc*, fam.: etwas kaputtmachen). • 23 **ouvrir qc en grand:** etwas ganz aufmachen. • 28 **auditif, -ive:** Hör…; über das Gehör.

– Bah, en fait, je retiens surtout ce que j'entends …

Du coup elle a commencé à se refaire le passage en silence et en égoïste. J'ai dit:

– Vous pourriez pas le lire à haute voix?

– Bien sûr que si! Avec d'autant plus de plaisir que c'est beau, écoutez: *Il n'est pas bon d'être tellement aimé, si jeune, si tôt. Ça vous donne de mauvaises habitudes. On croit que c'est arrivé. On croit que ça existe ailleurs, que ça peut se retrouver. On compte là-dessus. On regarde, on espère, on attend. Avec l'amour maternel, la vie vous fait à l'aube une promesse qu'elle ne tient jamais …On est obligé ensuite de manger froid jusqu'à la fin de ses jours.*

– C'est à cause de ça, le titre.

– Mmhh?

– Le titre: *La Promesse de l'aube*, c'est pour ça. Parce que la vie fait des promesses qu'elle ne tient pas, c'est pour ça qu'il l'a appelé comme ça, son bouquin, vous croyez pas? Rapport à l'amour maternel.

– Mais oui! Absolument! C'est incroyable, dire que je n'avais même pas noté ce détail essentiel, à mes précédentes lectures!

– Vous pourriez continuer encore, jusqu'au chien?

– Jusqu'à la fin du chapitre, ce sera encore mieux.

– D'accord.

– *Après cela, chaque fois qu'une femme vous prend dans ses bras et vous serre sur son cœur, ce ne sont plus que des condoléances. On revient toujours gueuler sur la tombe de sa mère comme un chien abandonné.*

2 **se refaire qc** (fam.): etwa: sich etwas erneut zu Gemüte führen. • 12 **tenir qc:** hier: etwas einhalten. • 28 **les condoléances** (f.; pl.!): Beileidsbekundung, Beileid.

– Là: «comme un chien», voyez!

– … *Jamais plus, jamais plus, jamais plus. Des bras adorables se referment autour de votre cou et des lèvres très douces vous parlent d'amour, mais vous êtes au courant. Vous êtes passé à la source très tôt et vous avez tout bu. Lorsque la soif vous reprend, vous avez beau vous jeter de tous côtés, il n'y a plus de puits, il n'y a que des mirages.*

– C'est parce qu'il était aviateur, qu'il dit ça?

– Quoi donc?

– Ben, vous m'avez bien dit qu'il était aviateur, celui-ci qui a écrit ça, non?

– Oui, oui, en effet.

– Alors c'est parce qu'il était aviateur qu'il parle de mirages, dans l'histoire?

On aurait dit que je parlais chinois.

– Pardonnez-moi, Germain, je ne comprends pas bien ce que …

– Les mirages, c'est des avions, j'ai dit.

– Oh, je ne savais pas …

– Bah, vous pouvez pas tout savoir, non plus.

– C'est juste. Et c'est heureux. Je m'ennuierais, sinon! Ceci dit, dans le roman, l'auteur prend sans doute le mot *mirage* dans son autre définition. Son autre sens, si vous préférez. Un mirage, c'est une illusion d'optique. Vous savez: comme lorsque l'on croit voir des flaques d'eau au milieu de la route, en été, quand il fait très chaud.

4f. **être au courant** (m.): informiert sein, Bescheid wissen. • 6 **reprendre qn:** hier: jdn. erneut ergreifen, packen. • 7 **le puits:** Brunnen. • 8 **le mirage:** Trugbild, Illusion, Fata Morgana; Mirage (französisches Kampfflugzeug). • 27 **la flaque:** (Wasser-)Pfütze.

– Ah oui, j'ai fait. Maintenant que vous me le dites … Oui, je le savais, ça.

– C'est pour cette raison que Romain Gary écrit, en parlant de l'amour: *il n'y a plus de puits, il n'y a que des mirages* … On dirait de l'amour, mais cela n'en est pas vraiment. Ce n'est qu'une illusion.

– C'est façon de parler, pas vrai?

Elle a posé son livre sur ses genoux, elle a fait:

– Oui, c'est une façon de parler, exactement. Cela s'appelle une métaphore.

– Une mé-ta-phore?

– Une métaphore, oui. Une image, si vous préférez …

Ensuite elle a posé son doigt sur sa bouche, elle a fait chhttt! en souriant, et puis elle a repris son bouquin.

– Je ne dis pas qu'il faille empêcher les mères d'aimer leurs petits. Je dis simplement qu'il vaut mieux que les mères aient encore quelqu'un d'autre à aimer. Si ma mère avait eu un amant, je n'aurais pas passé ma vie à mourir de soif auprès de chaque fontaine. Malheureusement pour moi, je me connais en vrais diamants.

Je me suis dit que ce monsieur Gary et moi, on n'avait vraiment pas connu la même éducation même si on a au moins deux points communs: un père aux abonnés absents et une mère qui tirait un peu trop sur la clope.

10 **la métaphore:** Metapher, bildlicher Ausdruck • 20 **un amant / une amante:** Liebhaber(in). • **passer sa vie à faire qc:** sein Leben lang etwas tun. • 21 **mourir de soif** (f.): verdursten. • 25f. **aux abonnés absents** (fam.): etwa: der notorisch abwesend war. • 26f. **tirer un peu trop sur la clope** (fam.): nikotinabhängig, ein(e) Kettenraucher(in) sein (*la clope*, fam.: Zigarette).

J'ai aussi trouvé qu'il charriait, sur les bords. Aimer sa vieille à ce point-là, ça se peut pas.

Margueritte était loin, elle avait l'air contente. Elle a répété doucement: *il n'y a plus de puits, il n'y a que des mirages …*

– Et si c'est l'inverse? j'ai dit.

Margueritte a levé un sourcil.

– L'inverse?

– Si elle était à sec, la source, s'il n'y avait pas de puits, je sais pas. Enfin, vous voyez, quoi …

– Si on n'a pas été aimé, c'est ce que vous voulez dire?

– Mettons. Il se passerait quoi?

Elle a réfléchi un moment. Puis elle m'a dit:

– Eh bien, si vous … enfin si quelqu'un n'avait pas été suffisamment aimé au cours de son enfance, dans un sens, on pourrait se dire qu'il lui reste encore tout à découvrir …

– Alors ce serait mieux, en fait. Parce que votre Gary, là, il a l'air sacrément blasé quand il parle des femmes! Rien que son idée de chien qui gueule sur la tombe, pfff … Il ne serait pas un peu déprimé sur les bords, ce type?

– Il s'est suicidé …

– Eh ben voilà! Qu'est-ce que je vous disais! Moi je pense que si sa mère l'avait un peu plus éduqué à la dure, il n'en serait peut-être pas arrivé là!

– La vôtre était sévère?

1 **charrier** (fam.): übertreiben. • **sur les bords** (fam.): etwas, leicht (*le bord:* Rand; Ufer; Krempe). • 9 **à sec:** ausgetrocknet, leer. • 13 **mettons** (fam.): nehmen wir mal an. • 20 **sacrément** (fam.): wahnsinnig, ungeheuer, ganz schön. • 26f. **à la dure** (fam.): mit etwas mehr Härte.

– La mienne? Elle s'en foutait.

Margueritte a rangé son livre, elle a soupiré, elle a dit:

– Je vous plains. L'indifférence, il n'y a rien de pire. De la part d'une mère, surtout.

– Bah, qu'est-ce que vous voulez, elle avait pas la fibre.

Margueritte, elle n'a pas eu d'enfants. Pourtant, moi, je suis sûr qu'ils auraient été bien, avec une mère comme elle, à leur apprendre la culture, entre deux éprouvettes, et à leur raconter Camus – mis à part les
5 longueurs. Seulement ils ne sont pas nés, du coup ils ne peuvent pas le savoir, tout ce qu'ils ont raté. Tandis que moi c'est tout l'inverse, si vous voyez ce que j'essaie de dire. Je suis né ici par hasard, j'y suis resté par habitude.

10 Les gens ne devraient faire des enfants que s'ils en ont vraiment l'usage. Parce qu'un gamin, ça engage la vie plus longtemps qu'un clébard, au niveau des contraintes. Et pas moyen de se tirer en le laissant attaché sur le bord d'une route, sauf si on veut finir en
15 taule, mais c'était une image, vous aviez bien compris.

Pourtant, d'avoir rencontré Margueritte, d'avoir parlé de la vie avec elle, ça m'a fait voir ma mère d'un autre œil. L'aimer, peut-être pas, faut pas pousser non plus. Mais la plaindre, ça oui. En tant qu'être humain,
20 je veux dire. Parce qu'elle et moi, on a beaucoup crié l'un sur l'autre – surtout elle – et balancé des coups de poing dans les cloisons – surtout moi. Il n'empêche que c'est ma mère. Il a raison, Julien, même si ça m'emmerde. Elle m'a pas fait exprès, c'est sûr. Elle

4 **une éprouvette:** Reagenzglas. • **mis à part:** außer, ausgenommen. • 12f. **au niveau de:** in Bezug auf, hinsichtlich. • 13 **la contrainte:** Zwang, Verpflichtung (*contraindre qn à faire qc:* jdn. zwingen etwas zu tun). • 13f. **attacher:** anbinden, anketten. • 15 **la taule** (arg.): Gefängnis. • 18 **pousser:** hier: übertreiben. • 21 **balancer** (fam.): werfen; hier: schlagen. • 22 **la cloison:** (Zwischen-)Wand.

m'a chopé sans le vouloir, comme un Algérien pour la peste. Je suis un accident, une erreur. Elle aurait pu m'aimer malgré tout, notez bien. Depuis, y a eu des précédents. Par exemple Julien, quand il nous parle de David, son fils aîné, il dit toujours:

– C'est une séquelle de soir de réveillon, mon gamin!

Mais faut le voir, avec son drôle: il en est complètement fou.

Si j'ai pas d'enfant, moi, c'est un coup de bol. Enfin, c'est façon de parler – pour mal dire les choses. Je crois que j'aurais aimé ça, un minot. Quand je regarde Annette, je me dis quelquefois qu'elle serait belle, enceinte. Et encore bien plus un bébé dans les bras. Un qui serait de moi, je veux dire. Seulement, je lui donnerais quoi, à ce môme? Tu parles d'un cadeau, un père comme moi, sans même un CAP. Un type qui avait jamais lu un bouquin de sa vie avant d'avoir quarante-cinq piges et *La Peste* d'Albert Camus. Un pauvre mec, même pas capable d'aligner trois mots convenables sans dire une chiée de mots vulgaires.

À part l'emmener à la pêche et lui montrer comment sculpter en tenant compte des nœuds et du sens de la fibre du bois, je n'aurais rien à lui donner. Je serais pas un bon exemple à suivre. Je ne saurais pas l'élever.

3 **notez bien:** wohlgemerkt. • 4 **le précédent:** Präzedenzfall, Musterfall, Beispiel. • 6 **la séquelle:** Folge, Nachwirkung. • **le réveillon:** Festessen (an Heiligabend oder zu Silvester). • 16 **le CAP:** *le Certificat d'Aptitude Professionnelle:* Berufsschulabschluss (unterste Stufe beruflicher Befähigung). • 18 **la pige** (fam.): Jahr. • 19 **le mec** (fam.): Typ, Kerl (*la nana*, fam.: Tussi, ‚Tante'). • **aligner trois mots** (m.; fam.): einen Satz bilden. • 20 **une chiée de** (pop.): eine ganze Latte von, ein ganzer Stall von.

Pourtant, Annette, elle voudrait bien que je la mette en cloque, je le sais. Elle prend ma main, des fois, quand on est au plumard, elle la pose sous son nombril, elle me dit dans l'oreille:

5 – C'est aujourd'hui, que tu m'en fais un?

Et de la sentir contre moi, tellement douce et chaude, moelleuse comme un oreiller, des minots, je lui en ferais dix et je suis sûr que je les aimerais.

2 **mettre qn en cloque** (f.; pop.): jdn. schwängern. • 4 **le nombril:** Bauchnabel. • 7 **moelleux, -euse:** weich, flauschig.

Annette, elle a eu un petit. Elle l'a perdu bébé, d'une maladie à la con, j'ai pas trop de détails. Elle n'en parle jamais. J'ai beau être un homme, je crois que je vois ce que c'est, pour une femme, de perdre son bébé. Depuis elle est pleine de larmes, un trop-plein d'amour qui l'encombre, sans savoir où l'évacuer. C'est peut-être pour ça qu'elle est belle. Le chagrin, parfois, ça vous tanne le cuir si profond qu'on est tout souple et doux après. Ma mère, c'est un parfait exemple du contraire: coriace comme de la carne, douce comme de l'émeri.

Mais c'est vrai que la vie ne lui a pas fait crédit. Elle m'a porté comme un fardeau et dès que ça s'est vu, on l'a foutue dehors en la traitant de pute. Sa mère était sûrement pas bien fournie non plus en fibre maternelle, faut croire.

Peut-être que s'aimer entre mère et enfant, c'est compris dans l'hérédité – *Ensemble des caractères, des dispositions que l'on hérite de ses parents* –, comme dit Margueritte, quand elle parle de sciences. Aimer, ce n'était pas dans ses dispositions, à ma mère.

6 **évacuer qc:** etwas ablassen. • 8 **tanner le cuir:** Leder gerben; hier (fig.): weich machen. • 9 **souple:** weich, geschmeidig; beweglich. • 10 **coriace comme de la carne** (fam.): zäh wie Leder (*coriace:* zäh; *la carne,* fam.: zähes Fleisch). • 11 **l'émeri:** *le papier d'émeri:* Schmirgelpapier. • 12 **faire crédit** (m.) **à qn:** hier (fam.): jdm. Geschenke machen, es gut mit jdm. meinen. • 13 **le fardeau:** Last. • 14 **foutre qn dehors** (fam.): jdn. rausschmeißen, auf die Straße setzen. • **traiter qn de:** jdn. nennen, heißen. • **la pute** (pop.): Nutte, Hure. • 18 **une hérédité:** Erblichkeit, Vererbung (*hériter:* erben). • 19 **la disposition:** Eigenschaft.

Je me souviens comment elle racontait ma naissance aux voisines, lorsque j'étais minot.

– Dix heures, il m'a fallu! Dix heures à souffrir pire qu'une bête! Il voulait pas sortir, tellement qu'il était 5 gros! Cinq kilos, vous vous rendez compte?! Cinq kilos! Voyez ce que ça fait? Tenez: c'est comme si je prends ces deux litres de lait, plus un paquet de sucre, un autre de farine, une livre de beurre et tiens, ces trois oignons! Ah, misère! Dix livres! On a dû le tirer 10 aux forceps, et me faire des points! Alors, des gosses, après celui-là, non merci, jamais plus! Surtout pour les satisfactions qu'on en a, quand on voit le mal que ça donne ...

Moi, quand j'entendais ça, je me sentais coupable. 15 Je voyais toute cette bouffe étalée sur la table, le lait, le sucre, les oignons, un plein panier à commissions, et ça me tournait dans la tête: cinq kilos, cinq kilos, dix livres, cinq kilos ...

J'aurais bien voulu rétrécir, disparaître.

20 Mais c'était comme un fait exprès, moins je voulais prendre de place, plus je poussais d'un peu partout. Des pieds surtout. Qu'est-ce qu'elle a pu gueuler ma mère, quand j'y pense, à devoir me racheter des pompes tous les trois mois.

25 – Mais tu vois ce que tu me coûtes?! Tu vas y aller pieds nus, à l'école, si ça continue! Pieds nus, c'est moi qui te le dis!

6 **tenez** (fam.): schauen Sie mal. • 8 **la livre:** Pfund. • **tiens / tenez:** hier! • 9 **(quelle) misère!:** welch ein Jammer! • 10 **le forceps:** Geburtszange. • **faire des points à qn** (m.; fam.): jdn. nähen. • 12 f. **donner du mal à qn:** jdm. Mühe machen. • 15 **étaler:** ausbreiten. • 20 **comme un fait exprès:** als ob es Absicht wäre. • 24 **la pompe** (fam.): Schuh, Treter.

C'était pas faute de vouloir me recroqueviller les orteils, comme font les vieilles Chinoises – j'ai vu un reportage là-dessus –, seulement ça fait beaucoup trop mal, des godasses qui serrent. Et de toute façon, elles
5 finissent toujours par s'user. Alors un beau matin ça craquait, forcément, juste au-dessus du gros orteil, en dessous des semelles ou tout le long d'une couture, sur les bords.

Ma mère hurlait qu'elle me l'avait bien dit! Et que
10 c'était pas Dieu possible: des chaussures qu'on venait à peine d'acheter neuves! Et que je le faisais exprès! Que j'existais que pour ça: l'emmerder. Rien de plus.

Puis elle soupirait en regardant mes godasses sous toutes les coutures et, enfin, quand elle était tout à fait
15 sûre qu'elles ne pourraient plus resservir, elle me traînait *Au Palais de la Chaussure*. Elle me poussait dans le magasin, en criant fort, pour couvrir le carillon:

– Monsieur Bourdelle?!

Et l'autre bas du cul, embusqué dans le fond, der-
20 rière son rideau de perles:

– Voilà, voilàààà! Je suis à vous!

Il sortait d'un seul coup de l'arrière-boutique, il ve-

1 **c'était pas faute de vouloir:** es lag nicht daran, dass ich es nicht wollte. • **recroqueviller:** zusammenziehen. • 4 **serrer:** drücken, pressen. • 5 **s'user:** sich abnutzen. • 6 **craquer:** aufreißen. • **un orteil:** Zeh(e). • 7 **(tout) le long:** entlang. • **la couture:** Naht. • 10 **c'est pas Dieu possible**: Gott, das ist doch nicht möglich! • 13 f. **sous toutes les coutures** (f.; fig.): von allen Seiten, genauestens. • 15 f. **traîner:** ziehen, schleppen; schleifen. • 17 **couvrir:** hier: überdecken, übertönen. • **le carillon:** Glockenspiel; hier: Türglocke. • 19 **le bas du cul** (arg.): Zwerg, kleinwüchsiger Mensch. • **embusquer:** verstecken. • 22 **d'un seul coup** (m.): mit einem Satz, plötzlich. • **une arrière-boutique:** Hinterzimmer.

nait droit sur moi, l'air gourmand. On aurait dit une grosse araignée qui va se farcir une mouche. Je le supportais pas, ce type.

Il m'enlevait mes chaussures lui-même au lieu de 5 me laisser faire tout seul. Il suait comme un bœuf, il avait les mains moites. Il me pelotait les arpions en disant:

– Ah, il a le pied fort! Le pied fort, c'est certain! Voyons, voyons … 39, 40? Eeeeh oui! 40! … Pour son 10 âge, c'est beau! Si ça continue, on va le chausser sur mesure, ce grand garçon.

Je lui aurais mis un pain si j'avais été taillé pour. À dix ans, c'était pas possible. Et plus tard, lorsque j'aurais pu, c'était plus d'à-propos. Pour un homme, 15 vieillir, ça fait parfois tiédir les envies de vengeance, à l'inverse des éléphants.

Ma mère choisissait toujours le moins cher, le plus moche.

– Donnez-moi du solide, monsieur Bourdelle, que 20 ça me fasse un peu d'usage, cette fois …

On aurait dit qu'elle voulait les porter elle-même.

Et l'autre, en s'épongeant le front:

– Vous tombez bien, madame Chazes! Je viens de

1 **être gourmand, e:** mit Vorliebe essen; hier (fig.): profitgierig sein. • 2 **une araignée:** Spinne. • 5 **suer comme un bœuf** (loc.): schwitzen wie ein Schwein (*la sueur:* Schweiß). • 6 **peloter** (fam.): begrapschen, befummeln. • **un arpion** (fam.): Fuß, ‚Flosse'. • 10 **chausser qn:** jdm. Schuhe anziehen; Schuhe für jdn. anfertigen. • 10f. **sur mesure:** maßgeschneidert (*la mesure:* Maß; Messung). • 12 **être taillé, e pour** (fam.): groß genug sein. • 14 **n'être plus d'à-propos:** nicht mehr aktuell sein (*un à-propos:* Schlagfertigkeit, Geistesgegenwart). • 15 **tiédir:** abkühlen. • **la vengeance:** Rache (*se venger:* sich rächen). • 22 **éponger:** (ab)wischen, abtupfen. • 23 **tomber bien** (fam.): wie gerufen, gerade recht kommen; hier: Glück haben.

toucher un article, vous m'en direz des nouvelles! Un tout nouveau modèle, qui emboîte bien la cheville. Bon chaussant, semelle en crêpe synthétique et, en plus, c'est de l'italien!

5 – Oh alors, elle faisait, ma mère, si c'est de l'italien, je vous le prends. Mais vous savez, avec *celui-là*, rien ne résiste …

Celui-là, c'était moi.

Bourdelle allait farfouiller dans tous ses invendus et
10 revenait avec son air faux-cul, en disant que j'avais de la chance, parce qu'il lui restait justement ma pointure.

– Vous allez voir que je ne vous mens pas! Regardez donc si ça fait mode! Les jeunes adorent, c'est très sport!

15 D'une boîte grise ou marron, il sortait une paire d'écrasemerde, de vraies godasses de curé. Il essayait de me les enfiler de force, en disant:

– Ne bloque pas ton pied, mon garçon, pousse bien le talon. Làààà, comme ça, voilà! Eh, eh! qu'est-ce que
20 je vous disais? C'est qu'il le lui fallait bien, ce 40! …

Ma mère faisait:

– Montrez voir?

Elle fronçait le nez, prenait sa moue pincée, hochait

1 **toucher qc:** hier: etwas bekommen, erhalten. • **vous m'en direz des nouvelles:** Sie werden schon sehen. • 2 **emboîter:** zusammensetzen; hier: halten. • 3 **le chaussant:** Schuhwerk. • **le crêpe:** Kreppgummi. • 9 **farfouiller** (fam.): herumstöbern, wühlen. • 10 **faux-cul** (fam.): scheinheilig, falsch (*le/la faux-cul:* Scheinheilige[r], Heuchler[in]). • 13 **faire mode** (f.; fam.): modisch aussehen, voll im Trend sein. • 13f. **c'est très sport** (fam.): das sieht sehr sportlich aus. • 16 **un écrasemerde** (vulg.): etwa: unförmiger Treter. • 17 **enfiler** (fam.): anziehen, überziehen. • 23 **froncer le nez:** die Nase rümpfen. • **la moue pincée:** mit zusammengekniffenen Lippen (*la moue:* schiefes Gesicht).

la tête comme quelqu'un à qui on ne la fait pas. Elle finissait toujours par dire:

– Écoutez, donnez-moi plutôt la pointure au-dessus, ça me laissera de la marge.

5 Du coup, je repartais avec des chaussures trop grandes, que je gardais jusqu'à ce qu'elles soient enfin explosées.

C'est marrant, les souvenirs qu'on retient de l'enfance, quand même. Les pompes où je flottais au large 10 et qui me donnaient des échauffements sous les pieds, avant de se mettre à me broyer les orteils et à me coller des ampoules. Ça et aussi les pantalons trop courts qui laissaient voir un morceau de cheville, et les copains qui se foutaient de moi:

15 – Oh! Chazes! T'as le feu au plancher?

Sans compter, une fois par mois, la séance au salon *Chez Mireille*, qui faisait la couleur à ma mère et posait des rouleaux aux mamies. Rien que d'entrer chez elle, j'avais honte. Tous les autres garçons allaient 20 chez monsieur Mesnard, le coiffeur de leur père. Moi, comme je n'avais pas de père, j'étais bon pour me farcir la coiffeuse – et malheureusement, c'est façon de parler.

On me mettait sur le fauteuil juste à côté de la vi-

1 **la faire à qn** (fam.): jdm. etwas vorspielen, jdn. verarschen. • 4 **la marge:** Marge; Spielraum. • 9 **flotter au large:** (davon)schwimmen. • 10 **un échauffement:** Erwärmung, Hitzegefühl. • 11f. **coller qc à qn** (fam.): jdm. etwas verpassen. • 12 **une ampoule:** Glühbirne; hier: Blase. • 15 **avoir feu au plancher:** eigtl.: *porter un pantalon trop court:* ‚Hochwasserhosen' tragen (*le plancher:* [Holz-]Fußboden). • 16 **la séance:** Termin, Sitzung; Vorstellung. • **le salon:** hier: (Friseur-)Salon. • 18 **le rouleau:** Rolle; hier: Lockenwickler. • 21 **être bon pour faire qc** (fam.): gerade gut genug sein, um etwas zu tun.

trine. J'avais l'impression que ces jours-là tout le village défilait dans la rue. Que tout le monde allait me voir avec les pieds qui ballaient dans le vide, les tifs mouillés, plaqués, et la raie au milieu. L'apprentie me posait une serviette rose sur les épaules. Elle me collait ses gros seins dans le dos, c'était au moins ça.

Ensuite on me coupait les cheveux aux ciseaux, pas à la tondeuse, comme ceux de ma classe. Ma coupe était peut-être pas si moche, pourtant quand je sortais de là je me sentais ridicule, ce qui est une vraie torture même si ça ne tue pas, soi-disant. Moi, je dirais que si: ça tue, le ridicule. Mais à petit feu seulement.

Bien sûr, je n'étais pas le seul mal fringué de ma classe. Seulement les chagrins des autres, au cas où vous ne l'auriez pas remarqué, ça ne console pas des nôtres. On se sent même pas moins seul. C'est tout le contraire, des fois.

Landremont, qui aime bien les phrases, il répète souvent, Ce qui ne te tue pas te rend plus fort.

Alors c'est ça la vie: ou t'es fort, ou t'es mort?

Tu parles d'un choix à la con.

2 **défiler:** (vorbei)marschieren, vorbeiziehen. • 3 **baller:** hin- und herschaukeln, baumeln. • **les tifs** (m.; fam.): Haare. • 4 **plaquer:** glattstreichen. • **la raie:** Mittelscheitel. • 8 **la tondeuse:** Rasenmäher; Haarschneidemaschine. • **la coupe:** Schnitt. • 10 **la torture:** Qual, Folter (*torturer:* quälen, foltern, peinigen). • 12 **à petit feu:** langsam. • 21 **tu parles de …** (fam.): was für ein(e) …!

Ma mère et moi, on ne discute pas des masses. On s'évite. De temps en temps, je jette un œil pour vérifier si c'est ouvert, si elle a du linge étendu. Pour le reste, pas besoin de la voir pour savoir ce qu'elle fait.
5 Je l'imagine. Le matin, elle descend en peignoir, à huit heures, pieds nus dans ses chaussons. Elle se fait du café sans sucre, elle finit le pain de la veille, tartiné de beurre salé, en regardant sa série à la télé. Elle fait sa vaisselle du petit déjeuner et après elle remonte, elle
10 va se faire belle. Quand elle redescend, elle s'est mis du Rimmel, du rouge et du parfum. Elle aime le parfum, ma mère. Elle en met toujours, mais pas trop. Ça reste respirable. Ça me ferait chier qu'elle fasse vulgaire. C'est ma mère, après tout. Elle arrange un peu
15 ses cheveux devant la glace de l'entrée, elle dit, Eh ben ma pauvre vieille, ou, La tête que j'ai, ce matin! et elle soupire. Après, elle part faire ses courses.

Elle ne fait pas du tout ses soixante-trois ans. Elle fait plus. C'est la solitude.

20 Et puis peut-être aussi les deux paquets de clopes qu'elle grille chaque jour. Pourtant elle le sait bien

2 **s'éviter:** sich aus dem Weg gehen. • **jeter un œil** (fig.): einen Blick werfen. • 5 **le peignoir:** Morgenmantel; Bademantel. • 6 **le chausson:** Hausschuh; Babyschuh. • 7 **finir:** hier: aufessen. • **tartiner qc:** etwas bestreichen. • 8f. **faire la vaisselle:** spülen (*la vaisselle:* Geschirr). • 11 **le Rimmel:** Maskara, Wimperntusche (Erfindung des Franzosen Eugène Rimmel; heute auch Name einer Kosmetikfirma). • 14 **après tout:** schließlich. • **arranger:** zurechtmachen. • 18 **ne pas faire (un certain âge):** nicht (so alt) aussehen wie … • 21 **griller** (fam.): rauchen.

que fumer tue, comme ils disent par précaution sur les emballages qu'on jette.

Pour revenir de l'épicier, ça monte cinq cents mètres. Lorsqu'elle arrive, elle est tout essoufflée.

5 Quand j'étais gosse, des fois, je lui disais:

– Maman, tu devrais pas fumer.

Et elle:

– Toi, tu me pompes l'air dix fois plus que mes clopes, alors viens pas me faire la leçon! Et ne m'ap-
10 pelle pas Maman, tu sais que ça m'énerve!

Moi, je répondais:

– Oui, Maman.

Elle croyait que c'était de la provocation. Mais je n'ai jamais pu lui dire Jacqueline ou Jackie. J'ai eu
15 beau essayer, pas moyen. C'était Maman ou rien.

Rien, c'était pas possible.

1 **par précaution** (f.): vorsichtshalber, sicherheitshalber. • 4 **être essoufflé, e:** außer Atem sein (*le souffle:* Hauch, Atem, Luft). • 8 **pomper l'air** (m.) **à qn** (fam.): jdm. auf den Wecker gehen; hier: jdm. die Luft zum Atmen nehmen.

Il y a eu des changements, chez Francine. Elle-même, pas le restau.

Je suis arrivé un soir vers dix-neuf heures. Elle était toute seule au comptoir, elle essuyait des verres. Je me 5 suis appuyé des deux mains sur le zinc et je me suis penché pour lui faire la bise. J'ai fait:

– Salut! Ça va?

J'ai vu que ma question tombait mal parce que de près on sentait bien qu'elle n'allait pas du tout, Fran-10 cine. Elle avait le nez rouge et les yeux assortis.

J'ai rectifié la trajectoire, j'ai dit:

– Salut! Ça va pas?

– Pas fort …, elle a fait d'une petite voix.

– T'es malade?

15 Elle a fait, Non, non.

– Ben alors, qu'est-ce que t'as? On dirait que tu as perdu quelqu'un …

Elle a éclaté en sanglots et puis elle est partie en courant, dans l'arrière-salle.

20 J'en suis resté interloqué – *Voir: décontenancé* – comme deux ronds de flan.

5 **s'appuyer:** sich (auf)stützen. • 5 f. **se pencher:** sich nach vorne beugen, sich bücken. • 6 **faire la bise à qn:** jdn. auf die Wange küssen (*la bise:* Küsschen, ‚Bussi'). • 8 **tomber mal** (fam.): unpassend, ungelegen sein. • 10 **assorti, e:** (dazu) passend. • 11 **rectifier:** korrigieren; berichtigen. • 13 **pas fort** (fam.): nicht so gut, könnte besser gehen. • **d'une petite voix:** mit schwacher Stimme. • 18 **éclater en sanglots** (m.; loc.): in Tränen ausbrechen (*le sanglot:* Schluchzen). • 19 **une arrière-salle**: Hinterzimmer. • 20 **interloqué, e; décontenancé, e:** fassungslos. • 21 **le flan:** Flan, Pudding(kuchen).

Jojo est sorti des cuisines en me faisant des gestes avec la main, du genre, Ferme-la.

J'ai chuchoté:

– Ben quoi?

5 – Youss' est parti.

– Parti où?

– Ah, j'en sais rien! Parti, c'est tout. Ils se sont engueulés hier, à la fermeture. Il s'est trouvé une minette. Francine prend pas ça trop bien, alors vaudrait 10 mieux pas remuer le couteau, tu comprends?

Je comprenais parfaitement, d'autant plus que ça fait bientôt trois ans qu'on parie pour savoir combien ça va durer, l'histoire. Francine est encore très bien, pour son âge. Sauf qu'elle aurait pu être sa mère, à 15 Youss', si elle avait été à reproduction précoce. Seize ans d'écart, pensez! Et jalouse! À jamais supporter qu'une fille vienne lui regarder son mec d'un peu trop près.

Youssef, c'est pas le genre à tirer sur tout ce qui 20 bouge, mais c'est quand même humain, pour un homme, d'avoir des tentations du genre sexuel. Tant que c'est pour l'hygiène, on va pas lui jeter la pierre.

Jojo a ajouté:

– Je te le dis, mais c'est juste entre nous, tu le gardes 25 pour toi, hein? La minette, c'est Stéphanie.

2 **la fermer** (fam.): die Fresse, Schnauze halten. • 3 **chuchoter:** flüstern. • 8f. **la minette** (fam.): Miezekatze; hier: ‚Püppchen', junges Ding. • 10 **remuer le couteau (dans la plaie)** (loc.): Salz in die Wunde streuen. • 11 **d'autant plus que** (+ ind.): um so mehr … als. • 12 **parier:** wetten. • 15 **la reproduction:** Fortpflanzung. • **précoce:** frühzeitig, frühreif. • 16 **un écart:** Abstand, Unterschied. • 19f. **tirer sur tout ce qui bouge** (fam.): etwa: nichts auslassen. • 21 **la tentation:** Versuchung. • 22 **jeter la pierre à qn** (fig.): jdn. verurteilen.

J'ai dit, Ah, merde!

Il a fait, Ouais, mais chut!

Stéphanie, c'est une gamine, elle a dix-huit ans, même pas. Francine l'embauchait au comptoir, quand 5 il y avait un coup de bourre. Je dis ça sans mauvais esprit.

Quand Francine est revenue vers nous en reniflant, je l'ai consolée du mieux que j'ai pu.

– Il va finir par s'en lasser, de sa Stéphanie, tu vas 10 voir! Et puis Youss', c'est un pantouflard, il aime trop ses habitudes! Il le sait bien, va, que c'est dans les vieux pots qu'on fait la meilleure tambouille.

Francine m'a regardé avec un air de pas y croire, elle a fait, Oooh … et elle est repartie à chialer aussi 15 sec.

Jojo a écarté les bras, il a fait:

– Putain, mais t'es impressionnant, quand même!

J'ai dit:

– Bah, normal, quand on peut aider!

20 Après j'ai rassuré Francine, je lui ai expliqué que c'est sa beauté intérieure qui compte, même si elle ne peut plus s'aligner sur l'argus. J'ai cité comme

2 **chut!:** pst! • 4 **embaucher qn:** jdn. einstellen. • 4f. **quand il y avait un coup de bourre** (f.; fam.): wenn viel los war (*bourré,e:* randvoll, vollgestopft). • 5f. **sans mauvais esprit:** ohne Hintergedanken. • 7 **renifler:** schnüffeln; hier: schniefen (nach dem Weinen). • 9 **se lasser de qn:** von jdm. genug haben. • 10 **le pantouflard / la pantouflarde:** Stubenhocker(in); Gewohnheitstier. • 11f. **c'est dans les vieux pots** (m.) **qu'on fait la meilleure tambouille** (loc.): gute Suppe in alten Töpfen. • 20 **rassurer qn:** jdn. beruhigen (*rassuré, e:* beruhigt). • 22 **s'aligner sur l'argus** (m.; fam.): etwa: mit den heutigen Frauen mithalten (*l'Argus*, m.: ≈ Schwakeliste, offizielle Tabelle für Gebrauchtwagen).

exemple monsieur Massillon et sa Simca Versailles noire de 1956 qui ressemble à un gros paquebot, peut-être, seulement en attendant on peut toujours se foutre de sa gueule, mais on lui en a proposé plus de 7000 euros, de sa Versailles, alors!

Elle a beaucoup pleuré, Francine.

Les femmes sont comme ça, faut toujours qu'elles s'épanchent. J'ai fini par la laisser dans les bras de Jojo, parce que ça devenait gênant, chaque fois que je disais un truc pour lui remonter le moral, elle repartait de plus belle. Il y a des gens, c'est plus fort qu'eux, ils n'obtempèrent pas à la consolation.

Jojo m'a dit de ne pas revenir tout de suite, hein, surtout ... le temps qu'elle se calme ...

Je lui ai dit de ne pas s'inquiéter, parce que j'avais des courses à faire.

– Oui, ben c'est ça, va les faire! Et prends ton temps pour revenir!

Je l'ai laissé finir Francine. Je me sentais complètement pensif, à la suite de cette histoire.

Les chagrins des autres, dans le fond, c'est utile. On mesure la chance qu'on a de pas avoir les mêmes qu'eux, on flippe en se disant que ça pourrait changer.

Là, pour le coup, je me disais que même si je n'ai

2 **le paquebot:** Passagierschiff, Ozeandampfer. • 8 **s'épancher:** sein Herz ausschütten. • 10 **remonter le moral à qn:** jdn. (moralisch) aufbauen. • 11 **de plus belle:** noch stärker. • 12 **obtempérer à qc:** einer Sache nachkommen, etwas befolgen; hier: für etwas empfänglich sein. • 19 **finir qn** (fam.): jdn. fertig machen; hier etwa: sich um jdn. kümmern. • 20 **pensif, -ive:** nachdenklich. • **à la suite de:** nach. • 21 **dans le fond:** im Grunde genommen, eigentlich. • 24 f. **n'avoir rien à voir avec qc:** nichts mit etwas gemeinsam haben.

rien à voir, Annette et moi, un jour, ça sera du pareil au même. Elle a trente-six balais, moi j'en ai quarante-cinq. On finira par plus être en mesure.

Je suis allé à Super U avec ça en travers.

1 f. **être du pareil au même** (loc.): dasselbe sein. • 3 **être en mesure** (f.): hier etwa (fig.): zusammenpassen. • 4 **Super U:** französische Supermarktkette. • **avoir qc en travers:** etwas quer im Hals stecken haben.

Annette et moi, on ne se donne pas rendez-vous, pas besoin. Des fois elle est là quand je passe chez elle, des fois non. Et de mon côté, même chose. On est libres.

5 La liberté, c'est une chose à laquelle je tiens, même si je ne sais jamais trop quoi en faire.

Je suis très attaché à mon autonomie. Surtout quand il s'agit de mes rapports avec les femmes – et quand je dis le mot *rapport* c'est bien sûr dans le sens: *relation*
0 *entre des personnes,* mais aussi, plus spécialement *(dans un sens plus étroit): les rapports sexuels.* Pendant longtemps, j'ai trouvé les femmes pénibles, à faire leur Sofres juste après les câlins, quand on aurait envie de rien à part se taire.

5 – Tu m'aimes? Tu penses à moi, des fois? Et quand tu penses à moi, tu y penses comment? Je te manque, quand j'y suis pas?

Faut dire que j'avais du mal à voir la différence entre aimer et tirer un coup. Quelles preuves d'amour
0 elles voulaient, à part ça, vu qu'elles venaient d'avoir le meilleur de moi-même?

C'est surtout le «tu m'aimes?» qui me prenait salement l'oxygène. Les mots, vous le savez, je m'en mé-

7 **être attaché, e à qc:** an etwas hängen. • 8 **s'agir de qc:** um etwas gehen. • **le rapport:** hier: Beziehung. • 12 f. **faire sa Sofres** (fam.): etwa: Löcher in den Bauch fragen (*la Sofres: la* ***So****ciété* ***F****rançaise d'****É****tudes de marché et de* ***S****ondages*: französisches Umfrageinstitut; heute: *TNS Sofres*). • 19 **tirer un coup** (fam.): bumsen. • 22 f. **prendre l'oxygène** (m.) **à qn** (fam.): jdm. die Luft zum Atmen nehmen. • **salement:** auf unschöne Weise (*sale:* schmutzig, dreckig).

fie. *Aimer*, c'est un mot très violent, faut y être habitué. Si on vous l'a répété tous les jours depuis qu'on est petit c'est sûrement plus simple à lâcher. Mais quand on ne vous l'a jamais dit jusqu'à un âge adulte
5 avancé, c'est trop gros pour sortir, ça coince.

Les filles, en général, vous avez remarqué, elles sont différentes de nous. Elles ont l'amour collant, elles font des câlins pareils que des menottes, qui donnent – enfin, à moi – l'envie de se casser tout de
10 suite en courant. Alors je l'apprécie d'autant plus, mon Annette. Elle m'aime et c'est déjà un très bon point pour elle étant donné qu'en ce qui me concerne ce n'était pas gagné d'inspirer la passion. Et puis elle ne me cherche pas la réciproque – *Voir: mutuel.*
15 On n'a aucun souci de mutualité, elle et moi.

Un jour, elle m'a dit:

– J'ai de la chance, que tu existes.

J'ai demandé:

– Pourquoi?

20 Elle m'a répondu:

– Parce que je t'aime.

Qu'est-ce que vous voulez faire?

Avant, je me serais marré, d'entendre ces bêtises.

1 **violent, e:** gewalttätig; hier (fig.): gewaltig, bedeutungsvoll. • 3 **lâcher qc** (fam.): etwas sagen, von sich geben. • 5 **avancé, e:** fortgeschritten. • **coincer:** feststecken, festsitzen. • 8 **les menottes** (f.): Handschellen; (enf.) (Patsch-)Händchen. • 9 **se casser** (fam.): abhauen, sich verpissen. • 13 **ne pas être gagné, e:** nicht selbstverständlich sein. • **inspirer qc:** etwas erwecken, einflößen. • 13 f. **elle ne me cherche pas la réciproque** (fam.): etwa: sie erwartet nicht dasselbe von mir. • 14 **mutuel, le:** gegenseitig, wechselseitig (*la mutualité:* Gegenseitigkeit; Wechselseitigkeit).

J'aurais raconté ça le soir, à l'apéro. Mais le jour où elle me l'a dit, je venais d'entamer toutes mes réflexions, sur la vie et le reste. J'avais senti des choses assez nouvelles, au niveau de mes sentiments, surtout quand on faisait l'amour elle et moi. Alors je l'ai écoutée sans répondre. Je n'ai pas rigolé du tout. Je crois que je commençais à comprendre la différence entre sexe et amour, pour parler poliment. Et, soit dit en passant, pour ceux qui n'en auraient pas fait l'expérience vécue, la différence, elle est facile à voir: quand on aime, les choses prennent un côté moins drôle. Grave, même. On pense à l'autre et d'un seul coup on se sent devenir tout chose, on se dit, Oh, putain!

Et ça fout sacrément la trouille, croyez-moi.

J'aurais dû avoir la puce à l'oreille plus vite, quand je me suis mis à penser «faire l'amour» dans mon for intérieur – dans la phrase «J'irais bien faire l'amour à Annette», par exemple – au lieu d'une expression normale, comme «tirer sa crampe», ou «s'envoyer en l'air».

«Faire l'amour», voilà bien un truc de gonzesse que j'aurais pas cru pouvoir dire. Comme quoi, il ne faut pas dire, Fontaine, je ne boirai pas de tonneau.

Ou bien l'avoir au dépourvu, devant les yeux, à n'importe quelle heure, avec ses cheveux tout mouil-

1 **un apéro** (fam.): *un apéritif.* • 2 **entamer qc:** etwas anschneiden, mit etwas beginnen. • 8f. **soit dit en passant:** nebenbei gesagt. • 10 **vécu, e:** erlebt, direkt. • 15 **avoir la puce à l'oreille** (f.): hellhörig werden (*la puce:* Floh; [Micro-]Chip). • 19f. **s'envoyer en l'air** (f.; fam.): mit jdm. ins Bett gehen. • 23 **Fontaine, je ne boirai pas de tonneau:** eigtl.: … *de ton eau* (loc.): man soll niemals nie sagen (*le tonneau:* Fass). • 24 **avoir qn au dépourvu:** etwa: jdn. hilflos vor sich stehen haben.

lés de sueur sur la tempe, cette habitude de mordiller ses lèvres quand elle a du plaisir, les petits cris qu'elle pousse, tout ça. Penser à elle en dehors de l'action et puis me dire qu'elle est belle. Le plus bizarre, c'est
5 quand j'ai arrêté de me lever tout de suite après qu'on a baisé. Quand je me suis mis à rester allongé, bien tranquille, sa tête au creux de mon épaule, sans avoir envie de me barrer ou bien de la virer du lit. Là, j'ai compris que je roulais sur du mauvais coton. Je me
10 suis dit qu'il valait mieux rester prudent. Pas trop lui faire ressortir que je me sentais bien, avec elle. Pas trop me découvrir du côté du point faible, quoi.

Landremont dit souvent:

– Un homme ne peut pas tomber plus bas qu'en
15 tombant amoureux!

Moi je réponds que ce sont des paroles verbales.

Et d'une, Landremont, il était fou amoureux de sa femme. Et de deux, c'est un con, je vous l'ai déjà dit.

1 **la tempe:** Schläfe. • **mordiller qc:** auf etwas herumbeißen, an etwas knabbern. • 2 **le plaisir:** hier: Lust(gefühl). • 3 **pousser:** hier: von sich geben, ausstoßen. • 6 **rester allongé, e:** liegenbleiben (*s'allonger:* sich ausstrecken). • 7 **au creux de:** tief in. • 8 **virer qn** (fam.): jdn. rausschmeißen. • 9 **rouler sur du mauvais coton:** etwa: sich in der Gefahrenzone befinden. • 11 **faire ressortir qc:** etwas hervorheben, betonen. • 12 **se découvrir:** hier: sich öffnen, Angriffsfläche bieten. • 17f. **d'une ..., de deux ...:** erstens ..., zweitens ...

Avec Margueritte aussi, j'ai fait gaffe au début. Je ne voulais pas lui montrer tout d'un coup qu'elle me faisait marrer, qu'elle m'apprenait des trucs. Pas me montrer trop familier, non plus, ce qui tombait 5 très bien, parce qu'elle restait un peu sur sa réserve défensive, elle aussi. Gentille, vous voyez? Mais polie.

D'habitude, les gens comme ça, je m'en méfie. Ceux qui ressemblent à Jacques Devallée, ou bien à 10 Berthaulon, le nouveau maire, qui parlent de façon tellement compliquée qu'ils te noient le poisson dans de la fioriture. Ces mecs, le jour où il leur prend l'envie de se foutre de toi, c'est fait si poliment que tu les remercies.

15 Moi, je n'ai pas été «bien élevé». On m'a dressé à coups de pierres, comme on fait aux clébards qui traînent dans la rue. (C'est façon de parler. Ma mère était barjot, mais pas à ce point-là.) Enfin, disons que je n'ai pas eu une enfance facile.

20 Du coup, je ne fais pas toujours dans la dentelle, les gens me trouvent un peu raide, je sais. Quand je veux m'exprimer, je sens bien que je choque, rien qu'à voir

4 **familier, -ière:** vertraut; geläufig. • 5 f. **rester sur sa réserve:** zurückhaltend sein. • 8 **d'habitude** (f.): in der Regel. • **se méfier de qn / qc:** jdm. / etwas misstrauen. • 11 f. **noyer le poisson dans la fioriture** (loc.): bewusst Verwirrung stiften (*la fioriture:* Schnörkel, Verzierung). • 15 f. **dresser qn à coup de pierres** (f.): etwa: jdn. streng erziehen. • 17 **traîner:** sich herumtreiben. • 18 **barjot, barjo** (fam.): verrückt, durchgeknallt. • 20 **ne pas faire dans la dentelle** (loc.): sich benehmen wie die Axt im Walde (*la dentelle:* Spitze).

leur façon de tordre un peu la bouche, ou de plisser le nez à croire que ça pue.

Le problème, c'est que je dis les choses que je pense avec les mots que j'ai appris. Forcément, ça limite.
5 C'est peut-être pour ça que j'ai l'air trop direct, à force de parler toujours en ligne droite. Mais un chat c'est un chat, et un con, c'est un con. J'y peux rien, si les mots existent. Je m'en sers et c'est tout. Y a pas de quoi fouetter une pendule.

10 En même temps, ça me fout des complexes. Pas tellement parce que sur quinze mots j'en dis douze qui sont vulgaires, mais parce que quinze mots ça suffit pas toujours à dire le total.

Landremont dit que le pouvoir appartiendra toujours
15 aux orateurs. Et il insiste, en tapant sur la table, d'un air content de lui, parce que c'est évident qu'il se met dans le lot:

– Aux orateurs, Germain! ... Tu entends? Aux o-rateurs!

20 Seulement, il a beau faire son fier, c'est pas demain qu'il sera roi du monde.

Il parle mieux que moi, c'est sûr. Mais ça lui sert à quoi, si c'est pour dire rien?

1 **tordre la bouche:** den Mund verziehen (*tordre:* biegen, verdrehen). • 1 f. **plisser le nez:** die Nase rümpfen. • 4 **limiter:** begrenzen; einschränken. • 5 f. **à force de faire qc:** indem man etwas immer wieder tut, durch das viele ... • 6 **parler en ligne droite:** direkt sein, etwas unverblümt sagen. • 8 f. **y a pas de quoi fouetter une pendule:** eigtl.: *il n'y a pas de quoi fouetter un chat* (loc.) oder *il n'y a pas de quoi en faire une pendule* (loc.): etwa: man sollte die Kirche im Dorf lassen (*fouetter:* auspeitschen; *la pendule:* Standuhr). • 15 **un orateur / une oratrice:** Redner(in). • 16 f. **se mettre dans le lot:** sich dazu zählen (*le lot:* Gewinn, Treffer).

Tout ça pour revenir au fait que même si Margueritte avait l'air tout inoffensive, avec ses airs gentils et ses phrases à tiroirs, je me disais qu'un jour elle en viendrait à me traiter comme un pauvre imbécile. Mais 5 elle m'a toujours parlé comme à quelqu'un.

Et ça, voyez, ça vous replace un homme.

3 **à tiroirs:** ellenlang (*le tiroir:* Schublade, Schubfach). • 3f. **en venir à faire qc:** dazu übergehen etwas zu tun. • 6 **replacer qn:** hier etwa: jdn. wieder an sich glauben lassen.

Margueritte, quand elle se raconte, elle a un air heureux, vous pouvez pas savoir! Sa vie, elle doit avoir un goût de confiture, pour lui mettre la faim à ce point dans les yeux.

5 La mienne, elle a un goût de gerbe, et je vous parle pas des fleurs.

Elle a fait tout le tour du fin fond de la terre. Les déserts, la savane et le tutti quanti. Quand on la voit comme ça, avec sa robe à fleurs, ses pattes de grillon 10 et son air de missel, on se dit qu'elle devait être bonne sœur, infirmière ou institutrice. Et puis non, elle partait camper chez les coupeurs de têtes, elle pionçait sous des moustiquaires. Moi ça me fait marrer quand j'y pense. Je la regarde et je me dis, Cette mémé, 15 quand même, c'est quelqu'un!

Elle raconte des aventures pas croyables, elle dit que tout ce qui arrive est là pour nous servir de leçon ou d'exemple, et nous faire grandir. Pour ce qui est d'être grand, j'ai pas besoin de rab, j'étais dans les 20 premiers à la distribution. Mais cette idée de leçon, par contre, je crois que je commence à la comprendre. Si tout était toujours facile, on en ferait quoi, du bonheur? Faut que ça garde un côté «coup de bol», ou

5 **le gerbe** (pop.): Kotze. • 5f. **la gerbe (de fleurs):** (Blumen-)Strauss. • 9 **le grillon:** Grille. • 10 **le missel:** Missal(e); Messbuch. • 12 **le coupeur de têtes** (f.): Kopfjäger. • **pioncer** (fam.): pennen, schlafen. • 13 **la moustiquaire:** Moskitonetz; Fliegengitter. • 19 **le rab** (fam.): Nachschlag. • 20 **la distribution:** hier: Ausgabe. • 23 **le coup de bol** (fam.): Glücksfall, Zufallstreffer.

bien qu'on l'obtienne au mérite, mais que ça reste rare ou cher, sinon j'en vois pas l'intérêt. Ce n'est pas très bien dit, mais l'essentiel c'est que je me comprenne. Être heureux, ça joue beaucoup sur les comparaisons.

Et en plus, il y a plein de gens dans le monde pour qui le bonheur, c'est en voie de disparition, comme les Jivaro, les gorilles ou l'ozone. On n'a pas tous pareil, en quantité. Ça se saurait.

La chance, elle est pas communiste.

1 **le mérite:** Verdienst. • 2 **un intérêt:** hier: Reiz. • 4 **jouer sur qc:** auf etwas setzen; hier (fig.): mit etwas zu tun haben, sich auf der Ebene von etwas bewegen. • 7 **être en voie** (f.) **de disparition** (f.): vom Aussterben bedroht sein. • 8 **les Jivaro:** Indianerstamm aus dem Amazonasgebiet. • 10 **communiste:** eigtl.: *commun, e:* allen gemein.

Un jour, j'ai parlé à Margueritte de toutes ces questions qui me viennent ces temps-ci – depuis que je la connais, je crois bien, mais ça, j'ai pas osé lui dire.

5 Je lui ai expliqué que je n'y pouvais rien, que ça me remontait comme l'ail du gigot: des pourquoi, des comment, à me prendre la tête.

Margueritte a souri.

J'ai demandé, Pourquoi vous souriez?

10 – Parce que vous vous posez bien des questions … Mais c'est le propre de l'homme!

J'ai pas osé lui dire que le propre de l'homme est surtout du côté des gonzesses, à ce compte, parce que, des questions, elles en pondent une caisse au moins 15 dix fois par jour.

Je voulais pas la contrarier, non plus, alors j'ai juste fait:

– Bah, tant que j'ai des réponses! …

Elle a hoché la tête, elle a dit:

20 – Oh, ça, des réponses, vous n'en aurez pas tout le temps! … Mais ce qui compte, c'est de se poser des questions, ne croyez-vous pas, Germain?

6 **remonter à qn:** jdm. aufstoßen. • **un ail:** Knoblauch. • **le gigot:** Lamm-, Reh-, Hammelkeule. • 7 **se prendre la tête** (fam.): sich an den Kopf fassen; sich den Kopf zerbrechen, sich verrückt machen. • 11 **c'est le propre de l'homme:** etwa: das macht den Menschen aus. • 13 **à ce compte:** in diesem Fall. • 14 **pondre qc:** etwas legen (Ei); hier (fam.): etwas hinlegen, fabrizieren. • 16 **contrarier qn:** jdn. verärgern, jdm. widersprechen (*la contrariété:* Verärgerung; Verstimmung).

Oh, là, je me suis dit, si je dois donner mon avis, nous voilà beaux!

En même temps – c'est ça qui est étonnant – on ne peut pas ne pas répondre à Margueritte. Vous la verriez … Elle a une façon d'attendre, avec son air tout sage, les deux mains posées bien à plat sur sa robe, le dos droit. Une façon de dire, Ne croyez-vous pas, Germain? (Ou un autre prénom, si c'est à vous qu'elle parle …) et on se sent obligé d'en penser quelque chose. N'importe quoi, putain! mais quelque chose, et vite. Parce que, si on ne disait rien, on se sentirait comme un traître. Un enfoiré de Père Noël qui se pointerait les mains vides, au soir du réveillon.

Alors j'ai répondu:

– Ben, en même temps, si on passe son temps à se poser des questions sans jamais savoir la réponse, je ne vois pas ce que ça rapporte, sans vouloir me vanter.

– Pourtant je suis sûre que cela vous est déjà arrivé bien souvent …

– Quoi?

– Voyons … Vous n'avez jamais eu l'impression de ne pas tout comprendre? Lors d'une discussion, par exemple …?

Là, j'ai pensé, Bingo! Elle a enfin fini par le voir,

2 **nous voilà beaux** (fam.): eigtl.: *nous voilà dans de beaux draps* (m.): Na dann Gute Nacht!; Da haben wir den Salat! • 4 **répondre à qn:** hier: jdm. eine freche Antwort geben, frech sein. • 12 **le traître / la traîtresse:** Verräter(in). • 18 **rapporter:** hier (fig.): bringen. • 18f. **se vanter:** prahlen, sich selbst loben. • 23 **voyons:** also; ach komm / kommen Sie!

que je suis un pauvre abruti. Et ça m'a foutu le bourdon.

Elle a ajouté:

– Pour ma part, chaque fois que cela m'arrive, cela
5 me donne envie de trouver la solution. J'ai le syndrome du défrichage!

– Le quoi? j'ai fait, pour le premier mot, parce que le défrichage, je connais.

Elle a ri.

10 – Le syndrome du défrichage: dès que je me heurte à un problème, je cherche à éclaircir.

Pour ce qui est d'éclaircir, je connais bien aussi: j'éclaircis mes navets, par exemple.

Margueritte a continué:

15 – Eh oui, c'est ainsi: j'ai toujours besoin de comprendre! Et je fais la même chose avec les mots. J'adore les dictionnaires!

– Moi pareil! j'ai fait.

J'avais répondu ça pour lui faire plaisir. On n'est
20 pas des brutes, quand même. Mais c'était complètement faux, parce que s'il y a un bouquin qui me fout la nausée c'est bien le dico, justement.

Elle a ouvert ses yeux tout grand. Elle a fait:

– Vous aussi? …

1 f. **foutre le bourdon à qn** (fam.): jdn. deprimieren (*le bourdon:* Hummel). • 6 **le défrichage:** Rodung, Urbarmachung; hier etwa: Wissensdurst. • 10 f. **se heurter à qc:** gegen etwas stoßen; hier (fig.): auf etwas stoßen, mit etwas konfrontiert werden. • 11 **éclaicir qc:** etwas heller machen; hier: etwas lösen, Licht in etwas bringen; andere Bedeutung: vereinzeln (Pflanzen). • 20 **le/la brute:** brutaler Mensch; hier: Vandale, Barbar. • 21 f. **foutre la nausée à qn** (fam.): bei jdm. Übelkeit hervorrufen. • 22 **le dico** (fam.): *le dictionnaire.*

J'étais content de lui avoir fait plaisir, en trouvant la bonne réponse.

– Oui, oui …, j'ai fait – sans insister de trop, quand même, des fois qu'elle se mette à me poser des colles pour voir si je l'avais bien lu jusqu'au bout.

Mais elle a juste hoché la tête.

Après on a parlé du coq à l'âne, pour arriver sur les pigeons et puis les bêtes en général. Et de fil en aiguille j'ai fini par sortir de ma poche un petit chat que j'ai sculpté dans une branche de pommier que m'a donné Marco.

Margueritte a fait:

– Hoooo …

Et tout de suite après:

– Mais que c'est joli! Que c'est joli! C'est tellement délicat, si bien vu! …

J'ai répondu, Bah non! c'est rien!

Elle a fait, Si, si, je vous assure, Germain, c'est très beau.

Alors j'ai fait:

– Bon, ben tenez, alors! Je vous l'offre.

– Oh non, je ne peux pas accepter, elle a dit en tendant la main. Vous avez dû y passer des heures …

J'ai dit:

– Pensez-vous, je fais ça en rien de temps!

4 **poser des colles à qn** (f.; arg.): jdm. knifflige Fragen stellen. • 7 **parler du coq à l'âne** (m.; loc.): eigtl.: *passer du coq à l'âne:* von einem Thema zum anderen springen. • 8f. **de fil en aiguille** (loc.): nach und nach (*le fil:* Faden; *une aiguille:* Nadel). • 16 **bien vu:** etwa: der Natur gut nachempfunden, gut getroffen. • 25 **pensez-vous:** ach Quatsch!; wo denken Sie hin! • **en rien de temps** (m.; fam.): eigtl.: *en un rien de temps:* im Nu.

Ce qui n'était pas vrai, vu que je m'étais cassé le cul pendant au moins deux jours pour le faire, ce chat. Surtout les finitions des oreilles et des pattes.

J'avais dit ça pour la mettre à l'aise, et ça a bien
5 marché, elle n'a plus fait de manières.

Des fois, si on montre un peu trop qu'on tient à quelque chose, ça empêche les gens de pouvoir l'accepter. La façon de donner vaut mieux que ce qu'on donne, comme disait ma mère qui donnait jamais rien.

1 **se casser le cul** (pop.): sich den Arsch aufreißen. • 3 **la finition:** Endbearbeitung, Feinschliff. • 4 **mettre qn à l'aise** (f.): dafür sorgen, dass sich jd. wohlfühlt. • 5 **faire des manières** (loc.): sich zieren (*la manière:* Art und Weise, Manier). • 8 **valoir mieux:** hier: mehr Wert sein.

Je ne sais pas bien pourquoi je fais ça. Sculpter des bouts de bois, je veux dire. J'ai commencé quand j'ai eu mon premier Opinel, vers douze-treize ans. Je l'avais repéré au bureau de tabac, au beau milieu du présentoir. Un beau nº 8, lame acier, manche en hêtre. Qu'est-ce que j'ai pu y penser, quand j'y pense!

C'est marrant, il y a des objets qui deviennent importants comme de vraies personnes. J'ai vécu ça avec un ours quand j'étais môme. Patoche, il s'appelait. Il était vilain comme un pou, avec l'œil recousu et le poil tout pelé. Mais c'était *mon* nounours. J'aurais pas pu dormir sans lui, je me serais senti comme orphelin de frère.

Des fois, je me dis que pour Annette, c'est peut-être la même chose. Je dois être son ours, c'est pour ça qu'elle me voit avec les yeux du cœur.

En tout cas, pour cet Opinel, je voyais plus que lui, avec le manche rond, la virole qui tourne. Je savais tout à fait ce que j'allais en faire, au point de vue utilité. Je me disais que s'il était à moi, je pourrais l'amener pour aller à la pêche, par exemple. C'est utile, un

4 **repérer** (fam.): ausfindig machen, entdecken, finden. • **au beau milieu** (m.) **de:** mitten in/auf/unter. • 5 **le présentoir:** Verkaufsständer, Verkaufsregal. • **la lame:** Klinge. • **le manche:** Griff. • **le hêtre:** Buche; hier: Buchenholz. • 6 **qu'est-ce que j'ai pu y penser:** wie oft habe ich daran gedacht. • 7 **un objet:** Gegenstand. • 8 **vivre qc:** etwas erleben. • 10 **vilain comme un pou** (loc.): hässlich wie die Nacht (*vilain, e:* hässlich; *le pou:* Laus). • **recoudre qc:** etwas wieder annähen. • 11 **pelé, e:** kahl, abgewetzt. • **le nounours** (enf.): Teddybär. • 18 **la virole:** Zwinge, (Ein-)Fassung. • 19 **au point de vue** (f.): im Hinblick auf.

couteau, pour aller à la pêche. Ça peut servir à couper des roseaux, à avoir l'air moins con pour manger quelque chose, à se battre contre un serpent. Et à vider les truites, tant qu'à y être. Seulement j'avais beau compter toute ma tirelire, je voyais bien que je n'aurais pas assez de ma vie pour l'acheter, c'était clair. Mais comme l'a si bien déclaré le Seigneur, ou peut-être un de Ses apôtres: *Bien mal, à qui ne profite jamais!*

C'est pour ça que je l'ai chouré dans sa boîte, un matin, en allant chercher des clopes à ma mère. Je l'ai pris pour pouvoir profiter un peu. Que ce soit pas toujours les mêmes, à part moi.

Ces présentoirs, ça s'ouvre comme un rien. Je serais commerçant, je n'aurais pas confiance.

Je l'ai gardé au moins dix ans, ce couteau. Je l'ai perdu bêtement, un matin, justement en allant à la pêche. J'aurais mieux fait de rester chez moi. On est toujours puni par où on a pêché. Et d'ailleurs, en passant, si c'est vrai cette histoire, il y en a qui auraient du souci à se faire.

En fait, je crois que j'aime bien sculpter parce que ça me distrait les mains.

2 **le roseau:** Schilf(rohr). • 3f. **vider:** hier: ausnehmen. • 4 **la truite:** Forelle. • 5 **la tirelire:** Sparbüchse, Sparschwein. • 8 **un apôtre:** Apostel. • 8f. **bien mal, à qui ne profite jamais:** eigtl.: *bien mal acquis ne profite jamais* (loc.): unrecht Gut gedeiht nicht. • 10 **chourer qc** (fam.): etwas klauen, mitgehen lassen. • 18 **faire mieux de:** besser daran tun. • 18f. **on est toujours puni par où on a pêché:** eigtl.: *on est toujours puni par où l'on a péché* (loc.): Man wird immer mit dem gestraft, womit man sündigt (nach dem biblischen *Buch der Weisheit*, 11,16). • 23 **distraire:** ablenken; unterhalten.

Je repense à ce mot, *inculte – Qui n'est pas cultivé. Voir: friche* – qui m'était venu dans la tête, un jour, pendant que je parlais avec Margueritte. Et au rapport qu'il y a entre la culture des livres et l'autre, des topinambours. C'est pas parce qu'on ne cultive pas un terrain qu'il n'est pas bon pour les patates ou autres. Faut pas croire, c'est pas de bêcher qui rend le sol meilleur: ça le prépare seulement à bien recevoir les semis. Ça l'aère. Parce que si le terrain est trop acide, trop calcaire, ou trop pauvre, il prendra pas n'importe quoi, de toutes les façons.

Je sais ce que vous allez me répondre. Vous allez me faire, Et l'engrais?

L'engrais, je vais vous dire: vous pourrez bien en foutre un tombereau, si la terre est mauvaise, elle le restera. D'accord, au bout du compte, et en suant des gouttes, vous en ramasserez trois-quatre, des patates. Grosses comme des billes. Alors que si vous avez une terre grasse, noire, avec des mottes lourdes qui se retiennent aux doigts quand on veut l'effriter, celle-là, même sans engrais, elle vous donnera quelque chose. Sans vous parler du savoir-faire de celui qui jardine.

1 **inculte:** brachliegend; ungebildet. • **cultivé, e:** bebaut; kultiviert, gebildet. • 5 **le topinambour:** Topinambour, Erdbirne. • 10 **calcaire:** kalkhaltig. • 13 **un engrais:** Dünger. • 15 **le tombereau:** Kippkarren; hier (fam.): Riesenmenge, Wagenladung. • 16 **au bout du compte:** am Ende, schließlich. • 18 **la bille:** Murmel. • 19 **gras, grasse:** hier: lehmig. • **la motte (de terre):** Scholle, Erdklumpen • 19 f. **retenir:** (zurück)halten; hier: kleben, hängen bleiben. • 20 **effriter:** zerbröckeln; sich langsam auflösen. • 22 **le savoir-faire:** Können, Know-how.

Et de la météo qui dépend du Seigneur, qui fait pleuvoir quand il Lui chante. Et puis des lunaisons, parce qu'il faut être con pour planter à la jeune lune quand on veut des racines – betteraves, carottes, oignons – ou à la vieille lune, si on veut de la feuille – salades, épinards, choux –, je ne vous apprends rien. Sans compter les astuces, qu'on ne dit pas, sauf quand on va mourir, pareil que pour les coins à champignons et je croise les doigts. Que le Seigneur veille sur ma santé et me la garde vigoureuse et vaillante à la tâche.

Ce qui me fait aller vers cette conclusion que pour les gens, c'est du pareil au même: c'est pas parce qu'on est inculte qu'on n'est pas cultivable. Il suffit de tomber sur un bon jardinier. Si c'est un mauvais, qui n'a pas le doigté, il vous gâche.

Et je ne dis pas ça seulement pour ce connard de monsieur Bayle, qui savait sûrement pas semer aux bonnes lunes, si je peux m'exprimer au sens figuratif – *Voir: symbolique.*

Enfin, c'était deux ou trois idées qui me sont arrivées sans que j'y prenne garde.

Réfléchir, ça m'aide à penser.

2 **chanter à qn** (fam.): jdm. passen, lustig sein. • **la lunaison:** Mondumlaufzeit; hier: Mondkalender. • 4 **la betterave:** Rübe, rote Bete. • 6f. **sans compter:** zudem, außerdem. • 7 **une astuce:** Trick, Kniff. • 9 **croiser les doigts** (m.; loc.): die Daumen drücken. • **veiller sur:** wachen über. • 10 **vigoureux, -euse:** robust, eisern, kräftig. • **vaillante, e:** beherzt, tapfer. • **la tâche:** Aufgabe, Arbeit, Auftrag (*tâcher de faire qc:* sich bemühen etwas zu tun, versuchen etwas zu tun). • 15 **gâcher:** verderben, verpfuschen. • 18 **au sens figuratif** (fam.): eigtl.: *au sens figuré:* im übertragenen Sinn. • 21 **sans y prendre garde:** ohne es zu merken (*la garde:* Bewachung, Aufsicht).

Quelques jours après cette histoire de questions, de réponses et de dictionnaire, quand je suis arrivé au banc, Margueritte était déjà là, avec un paquet posé à côté d'elle, bien emballé dans du joli papier cadeau.
5 J'ai fait semblant de rien et je me suis assis de façon usuelle.

Elle m'a montré le paquet, elle a dit:

– C'est pour vous.

– Pour moi? j'ai fait.

10 C'était pas mon anniversaire. J'étais content, notez: ça fait toujours plaisir, quand on ne s'y attend pas. Même quand on s'y attend, je suppose. Je n'ai pas trop d'expérience, pour ça.

Margueritte a fait un peu non-non, avec sa tête.
15 Elle a dit:

– En fait, ce n'est pas tout à fait un cadeau, c'est quelque chose qui m'a appartenu longtemps, et dont je me suis bien souvent servie …

– Mais pourquoi? j'ai dit.

20 – Pourquoi quoi?

– Pourquoi vous me faites un cadeau?

Elle a fait son regard surpris.

– Vous ne pensez pas que l'on peut offrir quelque chose à quelqu'un sans raison, simplement pour lui
25 faire plaisir? Pourtant, vous-même, pas plus tard que la semaine dernière, vous m'avez spontanément donné cet adorable chaton en bois de pommier …

6 **usuel, le:** gewohnt, üblich. • 11 **s'attendre à qc:** auf etwas gefasst sein. • 27 **le chaton:** Kätzchen.

Margueritte a des façons de penser différentes des autres. De ceux que je fréquente, en tout cas. Je n'imagine pas Landremont ou Marco me refiler un truc en disant:

5 – Tiens, Germain, c'est simplement pour te faire plaisir.

Cela dit, je me vois pas non plus leur offrir un petit chat sculpté. Même spontanément.

On n'est pas des lopettes.

10 Ma mère, elle ne m'a jamais rien donné non plus. Mais comme c'était déjà ma fête tous les jours, je n'attendais pas trop de mes anniversaires. J'ai beau regarder tout autour, je ne vois qu'Annette qui pourrait faire un coup pareil, sans autre excuse qu'elle m'aime.

15 Vu que je restais là sans rien dire, Margueritte m'a demandé:

– Alors vous ne voulez pas savoir ce que c'est?

J'ai répondu, Mais si, bien sûr!

En le tâtant entre mes doigts j'ai su que c'était un 20 bouquin. Merde. Je l'ai ouvert quand même, en essayant de prendre un air intéressé, parce qu'à cheval donné on ne regarde pas la devanture. C'était pire qu'un livre: c'était un dictionnaire!

Oh putain! j'ai pensé. Qu'est-ce que je vais bien 25 pouvoir foutre avec ça?

2 **fréquenter qn:** mit jdm. verkehren, sich mit jdm. abgeben. • 3 **refiler qc à qn** (fam.): jdm. etwas andrehen. • 9 **la lopette** (fam.): Tunte. • 11 **faire la fête à qn** (fam.): es jdm. ordentlich zeigen, jdm. ordentlich eins draufgeben. • 14 **faire un coup pareil** (fam.): so etwas bringen. • 19 **tâter:** tasten, befühlen. • 21 f. **à cheval donné on ne regarde pas la devanture:** eigtl.: *à cheval donné on ne regarde pas la denture* (loc.): einem geschenkten Gaul schaut man nicht ins Maul.

J'ai dit merci à Margueritte. Mais franchement, j'avais du mal.

Et elle, de son air d'accrocher les poissons dans le dos pour le premier avril:

5 – Eh bien, je constate avec soulagement que cela vous fait plaisir! ... Moi qui craignais de m'être trompée, en vous l'offrant.

– Hon, hon, j'ai fait. C'est vachement bien comme idée ... Justement, il fallait que je m'en rachète un.

10 Elle a dit:

– Ah? Le vôtre était périmé?

Et tout de suite après, elle s'est mise à rire.

J'aime bien quand elle rigole. En même temps ça fout la trouille, j'ai toujours peur qu'elle manque d'air.

15 Ces petits vieux, ça commence par se marrer, puis ça tousse comme un diesel, ça vous fait une fausse route et ça vous claque entre les doigts. Pour se fendre la gueule, il faut de l'habitude. Sinon, c'est dangereux.

Quoique, tant qu'à mourir.

20 – Germain, est-ce que vous savez à quoi servent *réellement* les dictionnaires?

J'aurais bien répondu, À caler le pied d'une table, mais j'ai dit:

3f. **de son air d'accrocher des poissons dans le dos pour le premier avril:** etwa: mit ihrem schelmischen Blick; am 1. April ist es in Frankreich Brauch, Papierfische am Rücken der Menschen zu befestigen. • 8 **vachement** (fam.): ganz schön, echt, wahnsinnig. • 11 **être périmé, e:** abgelaufen, veraltet sein. • 16 **un diesel** (fam.): Dieselmotor. • **faire fausse route:** einen falschen Weg nehmen; hier (fig.): etwas geht schief. • 17 **claquer** (fam.): den Geist aufgeben, das Zeitliche segnen. • 17f. **se fendre la gueule** (fam.): sich kaputtlachen. • 19 **quoique:** wobei, obwohl. • **tant qu'à ...** (fam.): dann lieber ... • 21 **réellement:** wirklich. • 22 **caler:** (mit einem Keil) fixieren, aufbocken, unterlegen.

– À comprendre les mots difficiles.

– Aussi, oui … Mais pas uniquement. Ils servent avant tout à voyager.

– …?

5 – Supposons que vous cherchiez un mot, d'accord? Un mot que vous trouveriez «difficile», justement.

Ça, c'était pas très dur à supposer.

– Bien. Vous venez de le trouver lorsque, à côté de sa définition, vous remarquez la lettre *V*, suivie d'un 10 ou de plusieurs autres mots. Ce *V* signifie «Voir», mais il pourrait aussi vouloir dire «Voyage». Il va vous obliger à tourner les pages, à rechercher de nouveaux noms, adjectifs ou verbes qui, à leur tour, vous renverront plus loin, à la poursuite d'autres mots …

15 Elle était tout excitée, d'un seul coup. Les vieux s'amusent pas comme nous, je vous jure.

Moi, je faisais, Ben oui, évidemment, tu parles, en regardant mes pieds.

– Un dictionnaire, ce n'est pas un simple livre, Ger-20 main! C'est bien plus que cela. C'est un labyrinthe … Un extraordinaire labyrinthe, où l'on se perd avec bonheur.

Je ne m'y connais pas beaucoup en labyrinthes – à part le labyrinthe du Château de la Mort qu'ils ins-25 tallent sur les allées cavalières pour la fête de la Saint-Jean, juste à côté du train fantôme et des montagnes

13 f. **renvoyer qn à qc:** jdn. auf etwas verweisen. • 14 **à la poursuite:** auf Verfolgungsjagd, auf der Suche. • 15 **être excité, e:** aufgedreht, aufgeregt sein. • 16 **s'amuser:** Spaß haben. • 25 **cavalier, -ière:** Reit…, für Reiter reserviert. • 25 f. **la fête de la Saint-Jean:** Hochfest von Johannes dem Täufer am 24. Juni, Mittsommerfest. • 26 **le train fantôme:** Geisterbahn. • 26 f. **les montagnes russes** (f.; pl.!): Achterbahn.

russes, mais si c'était ça je ne voyais pas trop le rapport avec son dictionnaire, ni avec le bonheur.

Alors j'ai fait, Mmhh, mmhh, sans rien ajouter d'autre, en hochant la tête, c'est tout.

5 Elle a un peu continué à délirer, ensuite elle s'est calmée, et on a enfin pu discuter d'autre chose, en particulier de sa recherche de pépins, qui sont comme des petites boîtes formées-d'un-tégument-qui-protège-un-albumen-et-un-embryon.

10 L'embryon je sais ce que c'est, rapport aux œufs de poule et aussi aux gamins, ce qui m'a fait penser à Annette, du coup. Je vais finir par aller lui en faire un, y a pas à tortiller.

L'albumen, ça ne m'a fait penser à rien du tout, par 15 contre.

J'ai dit à Margueritte qu'avec les pépins de raisin on peut faire de l'huile de pépins de raisin, par exemple. Elle m'a répondu que mais oui, c'est tout à fait exact! Et qu'ils contiennent également d'autres substances, 20 entre autres du tanin, dont je connais très bien le mot vu que c'est un des composants du pinard.

C'est marrant, on croit parler de choses scientifiques et en fait non, on est juste en terrain connu.

5 **délirer:** fantasieren, spinnen. • 5f. **se calmer:** sich beruhigen. • 8 **le tégument:** Integument, Hülle der Samenanlage. • 9 **un albumen:** Albumen, Eiweiß, Nährgewebe. • **un embryon:** Keimling; Embryo. • 13 **tortiller:** schlängeln, winden; hier (fam.): sich herausreden. • 20 **entre autres:** unter anderem. • **le tanin:** Tannin (Gerbstoff). • 21 **le pinard** (fam.): Wein.

Quand Margueritte s'est levée pour partir, je l'ai raccompagnée au kiosque et j'ai tourné pour m'en aller chez moi, direct, sans passer chez Francine. Je ne me voyais pas entrer pour l'apéro un dico à la main. Dans mon milieu, ce n'est pas très bien vu, les livres. Un peu ça va, mais sans exagérer. Lorsque c'est Landremont, on tolère, parce que c'est le plus vieux et le seul garagiste. Mais même Julien qui a son bac, ou Marco qui parle cinq langues – pour cause d'origines italiennes et de beaux-pères illégitimes, le serbe, le roumain et, depuis bien dix ans maintenant, l'espagnol – même eux, ils la ramènent pas comme des m'as-tu-vu. Alors moi, vous pensez, avec ma tête en friche – *Voir: inculte.*

Je suis rentré sans faire de détours, j'avais peur de croiser quelqu'un. Je planquais ce dico comme un livre de cul, tellement j'avais honte. En même temps, c'est ça qui était curieux, j'avais la même envie pressante de l'ouvrir. Comme quoi.

Le soir, j'ai hésité. Et puis je me suis dit si je cherchais un mot difficile, pour me faire une idée? Tiens: *labyrinthe* par exemple!

Et là, j'ai réalisé une arnaque incroyable: pour pou-

8 **le garagiste:** Werkstattbesitzer; Automechaniker. • 10 **le beau-père:** Schwiegervater; Stiefvater. • **illégitime:** illegitim, unrechtmäßig. • 12 **la ramener** (fam.): angeben. • 16 **planquer** (fam.): verstecken. • 17 **de cul** (vulg.): Porno…, pornographisch; pervers. • 18f. **pressant, e:** dringend. • 19 **comme quoi:** Wie man sich doch täuschen kann! • 21 **se faire une idée:** einen Eindruck gewinnen.

voir trouver un mot dans le dictionnaire, *il faut déjà savoir l'écrire!* Ce qui fait que les dictionnaires, ça sert uniquement à des gens cultivés qui n'en ont pas besoin par la même occasion.

On t'abat à la tronçonneuse les forêts de l'Amazonie pour faire des dicos pour t'aider, qui te montrent – au final – à quel point tu es con? Vive la politique!

Margueritte, elle n'y est pour rien, elle est née du bon côté des livres, ce qui est écrit ça lui semble évident. Comme je ne voulais pas gaspiller son cadeau, j'en ai profité pour essayer de retrouver des trucs que je suis sûr de savoir écrire.

Putain et *merde*, oui. *Salope* aussi. *Empaffé*, non.

L'O.M. non plus, mais Saint-Étienne oui.

C'était quand même assez complet comme vieux dictionnaire.

Après, j'ai recherché des noms propres d'individus, pour rigoler un peu. Je n'ai pas trouvé Landremont, ni Marco, ni Julien, ni Zekouc-Pelletier, Youssef, Francine ou Chazes.

Margueritte oui, mais avec un seul *t*, qui est un nom de fleur. Et Annette, sans *e*, avec *th*, qui veut dire «fenouil». Du coup j'ai cherché le fenouil, qui se mange cru en salade, ce que je ferais bien à mon Annette aussi.

5 **abattre:** fällen. • **la tronçonneuse:** Motorsäge. • 7 **vive ...!:** es lebe ...! • 8 **n'y être pour rien:** nichts für etwas können. • 10 **gaspiller:** verschwenden, verschleudern, vergeuden. • 13 **un empaffé** (arg.): Schwuler. • 14 **l'OM:** *l'Olympique de Marseille:* Fußballclub von Marseille. • **Saint-Étienne:** Fußballclub von Saint-Étienne. • 15 **complet, -ète:** hier: vollständig. • 17 **le nom propre:** Eigenname. • **un individu:** Individuum, Person. • 22 f. **un aneth; le fenouil:** Fenchel. • 24 **cru, e:** roh, ungekocht.

Germain, aussi, deux fois.

Germain, aine: *1° Adj. Né des mêmes père et mère. Frères germains (opposé à consanguin et utérin). N. Les germains: frères, sœurs, parents. 2° Cour. Cousins germains, etc.*

Germain, aine: *1° Adj. Qui appartient à la Germanie, nom de la région correspondant à peu près à l'Allemagne, à l'époque du Bas-Empire et du haut Moyen Âge. V. Germanique.*

Comme il y avait un *V.* pour *Voir*, juste avant *Germanique*, je suis allé voir, justement. J'ai pas compris grand-chose à leurs explications. Après je suis revenu à *Germain*, pour finir: *2° N. Habitant de la Germanie. Les Germains (Burgondes, Francs, Goths, Lombards, Saxons, Suèves, Teutons, Vandales)* et j'ai tout mis de côté dans ma tête, au cas où.

J'ai une très bonne mémoire, pour ce qui est de me souvenir.

Ensuite je suis allé à *moineau* qui est *un oiseau passereau à livrée brune striée de noir.*

La *livrée,* au cas où vous seriez dans l'ignorance, c'est un *vêtement aux couleurs des armes d'un roi*, et ça n'a rien à voir avec les piafs, mais également *le pe-*

3 **germain, e:** ersten Grades. • **consanguin, e:** Halb…; blutsverwandt (väterlicherseits). • **utérin, e:** Halb…; blutsverwandt (mütterlicherseits). • 4 **cour.:** *courant:* geläufig. • 4 f. **le cousin germain / la cousine germaine:** Cousin(e), Vetter / Cousine ersten Grades. • 8 **le Bas-Empire:** das späte römische Reich zur Zeit seines Niedergangs (192–476). • 8 f. **le haut Moyen Âge:** Hochmittelalter. • 15 f. **mettre qc de côté** (m.): etwas aufbewahren; etwas beiseitelegen. • 16 **au cas où:** man weiß ja nie; für den Fall des Falles. • 19 f. **le passereau:** Spatz, Sperling. • 20 **la livrée:** Livree (uniformartige Dienstkleidung); hier: Federkleid. • **strier:** riffeln, riefen, streifen. • 23 f. **le pelage:** Fell.

lage ou plumage d'un animal lorsque sa coloration est caractéristique, ce qui a un rapport, par contre.

Là où j'ai été un peu déçu, en revanche, c'est pour *tomate*, pour laquelle on peut lire: *plante herbacée annuelle (Solanacées) cultivée pour ses fruits*, et jusque-là d'accord. Mais un peu plus loin: *V. Olivette.* Et je dis: non. *Solanacées* tant qu'on voudra, mais pourquoi juste *Olivette?* Pour faire croire aux gens qu'il n'y aurait que ça, comme variété? Ils sont payés pour faire court, ou quoi, les écrivains des dictionnaires? C'est pour faire des économies de papier, qu'ils n'en mettent pas plus, ou bien parce que les gens cultivés n'en ont rien à cirer de ce qui se cultive?

Ce n'était pas pour critiquer un cadeau qu'on m'avait offert mais franchement là, sur ce coup, j'en savais largement plus que le dico de Margueritte vu que, sans réfléchir, de source personnelle, je peux déjà citer – à la louche, et sans réviser! – la Tonnelet, la Saint-Pierre, la Beauté blanche, la Noire de Crimée et l'Orange Bourgoin, la Buissonnante, la Black Prince, la Goutte d'eau, la Délicate et la Joie de la table, sans oublier la Marmande et la Douce de Picardie.

1 **le plumage:** Federkleid. • 3 **en revanche** (f.): dagegen, hingegen; wiederum. • 4 **herbacé, e:** krautig. • 4f. **annuel, le:** hier: einjährig. • 5 **la solanacée:** Nachtschattengewächs. • 6 **une Olivette:** Olivetti-Tomate, länglich-ovale Tomate. • 9 **la variété:** hier: Sorte. • 11 **faire des économies** (f.): (ein)sparen. • 16 **largement:** weit. • 18 **à la louche** (fam.): ungefähr, circa, Pi mal Daumen (*une louche:* Schöpflöffel, Kelle). • 18ff. **la Tonnelet ... et la Douce de Picardie:** weitere Tomatensorten.

– Vous savez, votre dictionnaire, c'est la croix à la barrière pour y trouver quelque chose.

Margueritte a levé un sourcil.

– La croix ...?

5 – C'est façon de parler, pour dire que c'est compliqué.

– Oh, oui ... Mais pourquoi «compliqué»? Dites-moi?

J'avais remâché ça depuis la veille au soir, et puis 10 pendant tout le trajet, en venant.

Il fallait que ça sorte.

J'ai pensé tant pis, je me lâche, et du coup je lui ai tout balancé, la lecture qui me fait chier, les mots que je sais pas écrire, cet enculé de monsieur Bayle, et 15 tout le reste du fatras.

J'ai pensé on verra.

Elle, elle me regardait avec une petite mine.

Moi je n'arrêtais pas d'en rajouter des couches, tout ce que je n'avais jamais pu expliquer mais qui me res-20 tait là, en travers du gosier. Les gens qui vous prennent toujours pour un con – surtout moi – si vous

1f. **être la croix à la barrière:** eigtl.: *être la croix et la banière* (loc.): ein Heidentheater, kompliziert, schwierig sein (*la barrière:* Sperre, Schranke). • 9 **remâcher qc:** etwas wiederkäuen; hier (fam.): immer wieder über etwas nachgrübeln (*la mâchoire:* Kiefer). • 12 **se lâcher** (fam.): sich gehenlassen; etwas frei heraus sagen. • 12f. **balancer qc à qn** (fam.): jdm. etwas hinwerfen; jdm. etwas an den Kopf werfen; jdm. etwas verpassen. • 15 **le fatras:** Kram, Plunder; wirres Durcheinander. • 17 **avoir une petite mine:** fertig, angegriffen, schlecht aussehen (*la mine:* Gesichtsausdruck; Äußeres). • 18 **en rajouter (des couches)** (fam.): immer weitermachen; übertreiben.

ne savez pas bien lire. Ceux qui confondent tout, et qui pensent que l'instruction ça remplace la politesse. Qui vous parlent de haut dès qu'ils voient que vous n'avez que trois mots en stock, parce qu'ils savent causer comme des livres, eux. Mais quand on gratte un peu dans ce qu'ils vous racontent, putain! c'est plein de vide, ou je m'y connais pas! Et j'y allais, et j'y allais, et je parlais trop fort.

Pourtant je l'entendais, cette voix qui criait dans ma tête: *Ta gueule, un peu, Germain! Tu le vois pas, que tu la fais flipper, cette pauvre petite vieille?* Mais pas moyen de la fermer, ça sortait d'affilée, tout le ras le bol qui déborde, l'injustice, tout ça. Et le pire c'est que rien qu'à m'entendre, ça me foutait les boules encore plus. On aurait dit que de mettre des mots sur ma vie, c'était me renverser du sel sur des coupures. À l'intérieur c'était un vrai bordel, les images qui défilaient, et la voix de mon for qui suppliait le Seigneur dans Sa grande clémence de me foutre un bâillon, pour pas en rajouter. Et voilà que le reste y passait, les filles, le boulot, tous mes rêves de gosse. Et ma mère, en bouquet final.

Enfin j'ai ajouté qu'il n'était pas complet, son dico, parce que *Solanacées*, d'accord, mais *Olivette …!*

5 **gratter:** kratzen; hier (fig.): nachhaken. • 7 **y aller** (fam.): weitermachen, nicht aufhören. • 11 **faire flipper qn** (fam.): jdm. Angst einjagen (*flipper:* ausflippen, durchdrehen). • 12 **d'affilée** (fam.): ununterbrochen, ohne Pause, hintereinander. • 12 f. **le ras le bol:** Wortspiel mit *le ras-le-bol* (fam.): Überdruss und *le bol*: Schale. • 13 **déborder:** überlaufen. • 16 **la coupure:** Schnittwunde. • 18 **supplier:** anflehen. • 19 **la clémence:** Milde, Gnade. • **foutre qc à qn** (fam.): jdm. etwas verpassen. • **le bâillon:** Knebel. • 20 **y passer** (fam.): drankommen, an der Reihe sein. • 22 **le bouquet final:** krönender Abschluss, Krönung.

Bref.

Margueritte a respiré un grand coup, on aurait dit que je lui avais tenu la figure sous l'eau.

Et elle m'a dit:

5 – Germain, je suis navrée.

Ça m'a fait retomber la pression d'un seul coup.

– Ben, pourquoi? j'ai fait.

– En vous écoutant, je m'aperçois que vous avez raison: si on ne connaît pas l'orthographe d'un mot, 10 ou l'ordre de son alphabet, le dictionnaire est un outil tout à fait inutilisable!

– ... Et pas complet, en plus, sans vouloir vous vexer.

– Ah, sur ce point non plus, je ne peux pas vous contredire! Pas plus tard qu'il y a deux jours, j'ai re- 15 cherché le mot *morbac:* eh bien, figurez-vous qu'il n'y est pas!

– J'en suis même pas étonné. Et je vous avertis: c'est pas le seul qui manque!

– Sans doute, sans doute ... En même temps, il faut 20 le reconnaître, un dictionnaire peut permettre d'apprendre beaucoup de choses ...

– Moi je veux bien, mais si je n'arrive pas à m'en servir ...

– Certes. Tttt! C'est agaçant. Comment pourrions- 25 nous faire?

Elle s'est mise à réfléchir, en branlochant un peu des mains et de la tête. De mon côté je me triturais la

5 **qn est navré, e de qc:** jdm. tut etwas leid, jd. bedauert etwas zutiefst. • 15 **se figurer qc:** sich etwas vorstellen. • 17 **avertir qn:** jdn. warnen. • 20 **reconnaître qc:** hier (fig.): etwas zugeben. • 24 **certes** (litt.): gewiss, in der Tat. • **Tttt!:** Nanana! • 26 **branlocher** (fam.): zittern (*branler:* schütteln). • 27 f. **se triturer la cervelle** (fam.): sich den Kopf zerbrechen.

cervelle, pour l'aider, parce qu'elle avait dit *nous*, et que ça m'avait fait plaisir.

J'ai fini par dire:

– Déjà, si on savait écrire ce qu'on cherche, ce serait plus facile: suffirait d'aller voir où ça dit d'aller voir …

– Voilà.

– Par exemple, si je voulais trouver, je sais pas … *labyrinthe*, tiens! … Je dis ça au hasard …

– Et le hasard fait mal les choses … Ah, la langue française est vraiment difficile! Justement le mot *labyrinthe* est truffé de pièges. Tenez, je vais vous montrer …

Et voilà qu'elle cherche dans son sac, qu'elle en sort un stylo, et qu'elle farfouille encore.

Auriez-vous un carnet, sur vous?

– Bah, non.

– Un petit morceau de papier, seulement?

– J'ai ma note des commissions, si ça peut faire?

– Ça fera, Germain, ça fera.

Elle m'a écrit le mot, la tête tournée de côté, en s'appuyant sur son sac. Elle avait une grosse écriture un peu tremblée, mais pas trop décatie pour son âge. Elle m'a tendu le papier en disant:

– Voilà.

La-by-rin-the?

Putain! Je risquais pas de le trouver!

9 **au hasard:** zufällig (*le hasard:* Zufall). • **le hasard fait mal les choses:** eigtl.: *le hasard fait bien les choses* (loc.): Glück muss der Mensch haben. • 11 **truffer de qc:** mit etwas trüffeln; hier (fig.): mit etwas spicken, übersäen. • 18 **(le/la) faire** (fam.): eigtl.: *faire l'affaire* (f.): reichen, ausreichend sein. • 22 **décatir:** seinen ursprünglichen Glanz verlieren; hier (fig.): kritzelig werden. • 26 **risquer de faire qc:** Gefahr laufen etwas zu tun, etwas tun können.

Quelques jours après ça, en passant par l'avenue du Général de Gaulle j'ai remarqué qu'on avait tagué la nouvelle médiathèque, sur toute la longueur. Forcément, on en a parlé entre nous, chez Francine. Marco, 5 il rigolait en haussant les épaules, il répétait que c'était pas la peine d'en faire tout un plat, tant que c'est que des conneries de gamins et pas des croix gammées de nazis ou le reste. Et que ça occuperait un peu ces fainéants du service entretien, à la mairie, ils 10 n'en foutent pas une rame. Francine disait rien, vu son chagrin d'amour qui la mine. Landremont était en colère. Il répétait que les petits cons qui avaient fait ça, on devrait les passer au goudron et les couvrir de plumes, pour leur faire sentir la portée de l'exemple. 15 Julien a hoché la tête, il a fait:

– C'est vrai que, franchement, c'est quand même dommage! Il est un peu à chier, leur nouveau bâtiment, mais au moins c'était propre. Et puis c'est nos impôts qui vont payer, je vous signale, parce qu'ils ne

2 **taguer qc:** etwas mit Graffiti vollsprühen. • 6 **faire tout un plat de qc** (loc.): viel Aufhebens um etwas machen. • 7f. **la croix gammée:** Hakenkreuz. • 8 **occuper:** hier: beschäftigen. • 9 **le service entretien:** etwa: Stadtreinigung (*entretenir:* etwas konstant halten; etwas in Ordnung halten). • 10 **ne pas foutre une rame** (fam.): keinen Schlag tun (*la rame:* Ruder, Riemen; Stange). • 11 **le chagrin d'amour** (m.): Liebeskummer. • **miner qn:** jdn. fertig machen, zermürben. • 11f. **être en colère** (f.): wütend sein. • 13f. **passer qn au goudron et le couvrir de plumes** (f.): jdn. teeren und federn (*le goudron:* Teer). • 14 **la portée:** Ausmaß. • 19 **je vous signale** (fam.): das dürft ihr nicht vergessen (*signaler qc à qn:* jdn. auf etwas aufmerksam machen).

vont pas nous en faire cadeau, des frais de remise en état! Avec toute la façade à repeindre, il y en a pour une pincée, je vous le dis!

– Ils ont tagué aussi le côté rue Faïence! j'ai ajouté.

5 – Putain, c'est pas croyable! a gueulé Landremont. C'est vraiment des petits merdeux! Des vandales, voilà! Des vandales.

– Ouais, j'ai dit, des Vandales. Et même des Teutons! Des Teutons, voilà ce que c'est!

10 Ils se sont tous regardés d'un air con. Julien a demandé:

– Oh?! Qu'est-ce que tu nous fais, là, avec tes tétons?

– Teu-tons! j'ai fait. Teutons, quoi! Comme les 15 Lombards.

Landremont a secoué la tête, il a fait:

– Désolé, comprends pas! ... Comprenez, vous?

Les autres ont dit, Non, non.

– Explique un peu, Germain, parce que là, sur ce 20 coup, on est en plein mystère.

– Qu'est-ce que tu veux que je t'explique? Tu sais causer français, ou pas?

Landremont, s'il y a un truc sur lequel il ne faut pas lui chatouiller l'humeur, c'est la culture et le vocabu-25 laire. Il a toujours sans faute à tous les jeux télé, surtout pour les questions à la mords-moi le nœud

1 f. **la remise en état** (m.): Instandsetzung. • 2 f. **il y en a pour une pincée** (fam.): das wird teuer (*la pincée:* Prise). • 6 **le merdeux / la merdeuse** (fam.): Lümmel, Rotzjunge / Rotznase. • 12 f. **le téton** (fam.): Brust; Titte. • 24 **chatouiller l'humeur** (f.) **de qn** (fam.): jdm. dumm kommen (*chatouiller:* kitzeln). • 26 **à la mords-moi le nœud** (fam.): knifflig, schwierig.

comme: *Citez un légume de la famille des Solanacées* (tomate).

J'ai compris que je l'avais touché au gras du vif, rien qu'à sa façon de se passer la main en râteau sur le
5 front, comme s'il espérait retrouver ses cheveux. Il a fini par dire:

– Tu pourrais préciser un peu de quoi tu parles?

– C'est toi qui en parles! Tu dis: les Vandales, alors, moi, j'ajoute: les Teutons. Ou les Lombards. Je dis ça
10 comme j'aurais dit autre chose. Je sais pas, moi … les Burgondes.

– Il est bourré, ou quoi? a dit Julien.

– Non, je suis pas bourré. Faut sortir un peu de chez vous: je donne des exemples de peuples germaniques!

15 – Ah bon? a dit Marco, y avait des croix gammées?

– Putain, tu fais exprès, non? «Germaniques», de «Germain». Je t'ai pas dit des Boches.

– Et puis les germaniques sont pas tous des nazis! a ajouté Landremont, énervé.

20 Et tout de suite après, il m'a demandé:

– D'où tu sors ça?

– D'où je sors quoi?

– Tes noms, là: Burgondes, Lombards …

– Tétons …, a dit Marco.

25 – Teu-tons, a fait Julien.

J'ai gueulé:

– Mais c'est *toi* qui en as parlé en premier, je te dis!

3 **toucher qn au gras du vif** (fam.): jdn. mitten ins Herz, da wo es weh tut, treffen (*le gras:* das Fett). • 4 **se passer la main en râteau sur le front** (fam.): sich die Stirn kratzen (*le râteau:* Harke, Rechen). • 14 **le peuple:** Volk, Volksstamm. • 17 **le/la Boche:** abwertende Bezeichnung für eine(n) Deutsche(n). • 21 **d'où tu sors ça?** (fam.): Wo hast du das denn her?

Merde! Tu as dit que les tagueurs étaient tous des Vandales, c'est pour ça que …

Landremont a tapé sur la table:

– Ça y est, les mecs! Je crois que j'ai compris!

5 – Eh ben t'as de la chance, a dit Marco.

Landremont a levé le menton:

– Tu pourrais nous les dire, tes peuples germaniques?

– Pas de problème! Alors: Burgondes, Francs, 10 Goths, Lombards, Saxons, Suèves, Teutons, et Vandales …

Landremont s'est marré. Il a répété:

– Et Vandales!. … Nous y voilà! Dans l'ordre alphabétique, en plus!

15 Marco a râlé.

– Si c'est privé, dis-le. On vous laisse, vous n'aurez plus qu'à éteindre en sortant …

Landremont m'a fait un clin d'œil:

– Sacré Germain, va! Tu sais que tu m'étonneras 20 toujours? L'autre jour tu nous sors *La Peste* de Camus, aujourd'hui, les anciens peuples germaniques … Tu feras quoi au prochain coup? Tu vas nous citer Maupassant?

– Arrête! a dit Julien. Fous-lui un peu la paix!

25 Mais Landremont, quand il vient de choper un os, il

16 **privé, e** (fam.): etwa: eine Privatveranstaltung. • 16f. **n'avoir plus qu'à faire qc:** nur noch etwas tun müssen. • 19 **va!:** das kannst du mir glauben! • 20 **sortir qc** (fam.): etwas (auf)sagen, erzählen. • 23 **Maupassant:** Henry René Albert Guy de Maupassant (1850–93), französischer Schriftsteller und Journalist. • 24 **foutre la paix à qn** (fam.): jdn. in Ruhe lassen. • 25 **choper un os** (fam.): etwa: einen wunden Punkt treffen (*choper*, fam.: mausen, stibitzen, klauen; *un os:* Knochen).

bloque un peu de la mâchoire, pas moyen de le décrocher. Il m'a demandé, comme ça, d'un air de me mettre au défi:

– Parce que Maupassant, ça te dit sûrement quelque chose, pas vrai?

– … Ouais. Parfaitement, ouais!

– Ben voyons! Et qu'est-ce qu'il a écrit, comme genre de truc?

– Tu fais chier! j'ai dit.

– Allez? Vas-y, pour voir.

– C'est bon! Il a écrit un guide, me prend pas pour un con. Julien a toussé dans son verre. Landremont a haussé les sourcils.

Moi, j'ai fini de boire mon demi. Ensuite, je me suis levé et je suis parti sans rien ajouter.

Et puis, juste au moment où je passais la porte, j'ai entendu Landremont, qui gueulait:

– Le guide Maupassant! Oh putain! Vous entendez ça? Le guide Maupassant!

– Ouais, alors? Connais pas, a répondu Marco.

– C'est genre Michelin, non? a fait Francine.

Vu que j'étais déjà trop loin j'en ai pas entendu davantage. Mais je m'en foutais bien, parce que je lui en avais bouché un coin, à Landremont. Pour une fois.

1f. **décrocher:** abhängen; hier: losreißen, losbekommen. • 2f. **mettre qn au défi:** jdn. herausfordern (*le défi:* Herausforderung). • 13 **hausser les sourcils** (m.): die Augenbrauen heben. • 23f. **en boucher un coin à qn** (fam.): jdn. sprachlos lassen, in Staunen versetzen. • 24 **pour une fois:** wenigstens einmal.

Ça fait un bon moment qu'elle vire au yaourt, ma mère. Mais ça s'aggrave dans le pire. Maintenant, je la vois descendre au jardin à n'importe quelle heure, échevelée comme un poireau. Elle s'arrête devant les
5 haricots, ou les patates – c'est selon –, elle reste là sans rien faire, on dirait qu'elle réfléchit et puis elle remonte chez elle avec son panier vide.

Lorsque je vais la voir, c'est un vrai festival. Déjà bien heureux si elle m'ouvre.

10 Elle s'est mis dans la tête que je veux sa pension. Elle raconte à tout le quartier que mes copains et moi on va l'assassiner. Elle me suit partout dans la maison en criant qu'elle va pas se laisser voler comme en plein bois, si c'est pas malheureux, de torturer sa mère!

15 De toute façon elle a gagné, je vais finir par déclarer forfait, j'abandonne.

Je ne vais plus y aller, ni lui porter de quoi faire sa soupe, ni réparer sa plomberie, ni changer ses ampoules ou rien. Je me dis ça, j'y vais quand même, et je
20 m'en veux d'être aussi con.

1 **virer au yaourt** (fam.): den Kopf verlieren (*le yaourt:* Joghurt). • 2 **s'aggraver:** sich verschlimmern, schlimmer werden. • 4 **échevelé, e:** zerzaust. • 5 **le haricot:** Bohne. • **c'est selon:** je nachdem. • 6 **on dirait que:** es sieht so aus als ob; man könnte meinen, dass. • 8f. **déjà bien heureux si ...:** man kann schon froh sein, wenn ... • 13f. **se laisser voler comme en plein bois** (fam.): sich ausnehmen lassen. • 15f. **déclarer forfait** (fig.): aufgeben, aussteigen (*le forfait:* Verbrechen, Untat; Pauschale). • 18 **la plomberie:** Heizungs- und Sanitäranlagen. • 18f. **changer une ampoule:** eine (Glüh-)Birne auswechseln. • 20 **s'en vouloir:** sich selbst böse sein, Vorwürfe machen, sich ärgern.

Elle me traite de bâtard. Quand je m'approche un peu trop près, elle essaye de me taper. Je me retiens pour pas lui mettre un pain, certains jours. Simplement pour la faire taire.

5 Quand vraiment j'en peux plus, j'en parle chez Francine, je leur vide mon sac.

Julien me fait son cinéma, T'as beau faire Germain, ta mère c'est ta mère. On n'en a qu'une dans la vie.

Manquerait plus qu'on en ait d'autres, parce qu'à ce 10 compte-là, merci, donnez-moi les deux planches, le marteau et les clous, je vais me foutre en croix moi-même, et tout de suite!

Landremont dit que c'est compréhensible que j'aie des mouvements d'humeur parce qu'il faut bien le re-15 connaître, ma mère, c'est un vrai remède.

Moi j'aurais plutôt dit c'est de la mort-aux-rats.

L'autre jour, Marco m'a demandé pourquoi je la mets pas en maison de retraite.

– Foutre ma mère chez les vieux? À soixante-trois 20 ans? Tu crois que c'est facile, pour lui expliquer ça? Moi je compte pas m'y risquer, en tout cas!

Landremont a dit que quelqu'un pourrait s'en charger à ma place.

6 **vider son sac à qn:** hier (fam.): sich jdm. anvertrauen. • 9 **manquerait plus que ...:** würde gerade noch fehlen, dass ... • 10 **la planche:** (Holz-) Brett. • 11 **se foutre en croix** (f.; fam.): sich ans Kreuz nageln. • 14 **le mouvement d'humeur** (f.): Anflug von schlechter Laune. • 15 **c'est un vrai remède** (fam.): hier: sie ist die Quelle allen Übels (*le remède:* Arzneimittel, Medizin). • 16 **la mort-aux-rats:** Rattengift. • 18 **la maison de retraite** (f.): Altersheim. • 21 **se risquer à qc:** das Risiko eingehen.

– C'est toi qui vas la faire aller là-bas, peut-être? Tout seul avec tes petits bras?

– Attends, elle n'est pas si terrible, quand même!

– Tu ne l'as jamais vue en rogne, ça se voit.

Julien a dit:

– Ça c'est vrai, quand elle est en colère, sa mère, putain, elle fout la trouille!

– Et pas qu'un peu, j'ai fait. Alors pour la faire sortir de chez elle et l'emmener jusqu'à l'hospice, à part lui envoyer le GIGN, franchement, je vois pas …

Francine a soupiré qu'on y allait fort, quand même.

– C'est vrai, quoi, vous les hommes, faut toujours que vous exagériez … Ta mère, elle est pas si méchante, Germain. Elle perd un peu la boule, voilà tout …

Marco a rigolé.

– Elle fait comme les poissons, elle pourrit par la tête!

Je lui ai dit qu'il causait de ma mère, fallait pas qu'il oublie.

Marco a fait, Ok, c'est bon, te fâches pas, et puis pour nous détendre il nous a raconté son grand-père, qui dit qu'on lui a mis des micros partout dans sa maison – surtout dans les toilettes – soi-disant.

– Des micros? on a dit. Des micros pour quoi faire?

1 **faire faire qc à qn:** jdn. dazu bringen, treiben etwas zu tun. • 4 **être en rogne** (fam.): stinkwütend sein (*la rogne*, fam.: Stinkwut). • 10 **le GIGN:** *le Groupe d'Intervention de la Gendarmerie Nationale:* Spezialeinheit der französischen Gendarmerie zur Terrorismusbekämpfung. • 11 **y aller fort** (fam.): ein bißchen weit gehen. • 14 **perdre la boule** (fam.): den Kopf verlieren. • 17f. **les poissons, ça commence à pourrir par la tête** (loc.): Der Fisch beginnt am Kopf zu stinken.

– Il dit qu'ils sont branchés par la mairie, pour l'espionner.
– Dans ses toilettes?
– Eh ouais.
5 – Oh putain! on a dit.
Et puis Jojo a ajouté, C'est vrai qu'il faudrait pas vieillir!

1 **brancher:** anschließen; einstecken.

Ces temps-ci, je travaille à la SOPRAF/Peinture et Ravalement de Façades.

J'ai trouvé ça par Étienne, le beau-frère de Julien. Je suis à la manutention. Déballer les pots de peinture, les ranger sur les rayonnages et porter les cartons et les films plastiques aux poubelles, toutes ces conneries, c'est un échantillon de ce que je sais faire.

Le tout-venant, c'est ma spécialité.

Chez Manpower et compagnie, ils me connaissent. Ils savent bien que mes atouts, on doit pas les chercher du côté des diplômes. Par contre, pour charger un sac de ciment sur l'épaule tout en continuant à blaguer, je suis bon. Dès qu'ils ont un boulot ingrat – *Voir: difficile, pénible* – que personne ne tient à faire, c'est pour ma pomme, c'est réglé.

Il y en a qui sont dans des bureaux avec de la moquette et des plantes en plastique, et d'autres – comme moi – qui transpirent des gouttes pour toucher trois euros.

C'est comme ça, qu'est-ce que vous voulez. Chacun sa merde.

Le problème, avec le travail, c'est qu'on est obligé

1 **la SOPRAF:** fiktiver Namen für ein Unternehmen. • 1f. **le ravalement:** (Fassaden-)Reinigung; Verputzen. • 4 **la manutention:** Lager; Warenumschlag. • 5 **le rayonnage:** Regal. • 6 **le film:** hier: Folie. • 7 **un échantillon:** Muster; Kostprobe, Auszug. • 8 **le tout-venant:** Rohgut, Fördergut; hier: das x-Beliebige. • 9 **et compagnie** (fam.): und Co. • 10 **un atout:** Qualität, Vorzug, Trumpf. • 11 **charger:** aufladen (*décharger:* abladen, entladen). • 15 **pour ma pomme** (fam.): für mich (*la pomme*, fam.: Kopf, ‚Birne‘).

d'en avoir un pour vivre. Enfin, d'en avoir un assez longtemps pour toucher le chômage après. Sinon, ça me passionne pas de travailler. De trimer comme ça, en tout cas.

5 Landremont dit que mon problème, c'est que je n'ai pas d'ambition.

Le problème de Landremont, c'est d'avoir un avis sur tout.

Je crois qu'on peut être normal sans pour autant ai-
10 mer bosser. C'est même le contraire que je trouve étonnant. Faudrait quand même pas oublier qu'il y a des milliards de gens qui vivent sans travailler. Par exemple, les Jivaro. Quand j'étais mouflet, mon rêve d'avenir pour plus tard, c'était pas de porter des par-
15 paings, ni de décharger des palettes ou des pneus de camions. Ni de faire carrière au chômage. Moi, à part cette intime vocation dont je vous ai déjà parlé – vitrailleur – je voulais être Indien d'Amazonie. Mon oncle Georges m'avait donné un bouquin sur eux,
20 avec plein de photos, qu'il avait trouvé au soldeur.

Je l'ai gardé longtemps au bas du placard de ma chambre.

Quand certains me les gonflaient trop (monsieur Bayle, ou Cyril Gontier – mon meilleur ennemi de
25 l'époque –, sans parler de ma mère, toujours médaille

2 **le chômage** (fam.): eigtl.: *la prime au chômage:* Arbeitslosengeld. • 3 **trimer** (fam.): schuften, sich abrackern. • 9 **sans pour autant:** noch lange nicht, ohne. • 14 f. **le parpaing:** Leichtbaustein. • 17 **intime:** intim, geheim (*une intimité:* Intimsphäre; Privatleben; tiefstes Inneres). • 20 **le soldeur:** Discounter, Secondhandladen (*en solde:* heruntergesetzt im Preis). • 23 **les gonfler à qn** (fam.): jdn. nerven.

d'or), je sortais ce livre, le soir, et je regardais les photos, installé au chaud dans mon lit.

Je me voyais en chef indien, les plumes coiffées impeccable, et la biroute au vent dans mon étui pénien. Je me disais, S'ils continuent à me pourrir la vie, je me fabriquerai des flèches empoisonnées et je leur balancerai dans le prose. Et je resterai là, tranquille, sarbacane à la main, pendant qu'ils crèveront avec la bave aux lèvres.

On est rêveur, quand on est gosse.

N'empêche, Indien d'Amazonie, c'est plutôt un beau sort, je trouve.

Ils se baladent presque à poil à part des colliers et des arcs, ils glandent rien sauf jouer de la flûte et faire un peu la guerre. Ils se bourrent la gueule au coin du feu de camp avec des alcools de liane ou de je sais quoi d'autre, ils fument des pétards pour raison religieuse.

Ils ont la belle vie. Sans compter qu'ils peuvent mater leurs gonzesses du lever au coucher sans faire un seul effort, vu qu'elles ont les deux seins à l'air et le reste sous une plume. Ils pêchent, ils chassent, ils ramassent des plantes – pour faire du poison pour les pointes de flèches. Ils jardinent deux ou trois courges,

3 **coiffer:** frisieren; hier etwa: hindrapieren. • 4 **la biroute** (vulg.): ‚Schwanz'. • **un étui pénien:** Penisfutteral, Penisköcher. • 6 **empoisonné, e:** Gift…, vergiftet (*le poison:* Gift). • 7 **le prose** (arg.): Hintern. • 7f. **la sarbacane:** Blasrohr. • 8 **la bave:** Spucke. • 12 **le sort:** Los, Schicksal. • 13 **à poil** (fam.): nackt. • 14 **un arc:** Bogen. • **glander** (fam.): herumhängen, herumgammeln. • 16 **le feu de camp:** Lagerfeuer. • 17 **le pétard** (fam.): Joint. • 17f. **pour raison religieuse:** (angeblich) aus Glaubensgründen. • 21 **à l'air** (m.): nackt, an der frischen Luft. • 24 **la courge:** Kürbis.

du manioc, un peu de tabac. Ils passent pas leur temps à trimballer des caisses. Ils vivent au paradis sur terre, d'après moi.

Seulement, les jours où Landremont s'inquiète de mon avenir et qu'il me bassine en disant:

– Bon sang, Germain, tu ne vas pas rester comme ça toute ta vie? À quarante-cinq balais, tu as bien une ambition?

Je peux pas lui répondre:

– Je veux faire Indien Jivaro.

D'abord il me prendrait pour un dingue, en plus de me croire abruti. Et puis, tel que je le connais, il se mettrait à me parler du trou dans la couche d'ozone, du pétrole, des multinationales et de la déforestation, du paludisme et de la malaria – qui sont vraiment des maladies de merde –, et tout ça finirait en catastrophe nationale, avec la mort de tous les êtres humains vivants d'Amazonie.

Je sais pas si c'est d'être veuf ou d'avoir chopé la cirrhose mais, depuis quelque temps, Landremont c'est le genre à te changer le paradis en dépotoir, rien qu'avec deux trois phrases.

Il te sape pas le moral, il te le dioxine.

3 **d'après moi:** meiner Meinung nach. • 5 **bassiner qn** (fam.): jdm. auf die Nerven gehen (*bassiner:* anwärmen). • 11 **prendre qn pour qc:** jdn. für etwas halten. • 14 **la multinationale:** internationaler Konzern. • 15 **le paludisme:** Sumpf-,Wechselfieber, Malaria. • 20 **la cirrhose:** Zirrhose, (meist) Lebererkrankung. • 21 **le dépotoir:** Müllhalde, Schuttabladeplatz. • 23 **saper le moral à qn** (fam.): jdm. die Stimmung verderben (*saper:* untergraben, zunichte machen). • **dioxiner qc** (fam.): etwa: etwas vergiften, verpesten.

Au début, je trouvais Margueritte marrante. Et instructive, aussi, du point de vue de la conversation. Et, petit à petit, je me suis attaché à elle par surprise.

5 L'affection, ça grandit sous cape, ça prend racine malgré soi et puis ça envahit pire que du chiendent. Ensuite c'est trop tard: le cœur, on ne peut pas le passer au Roundup pour lui désherber la tendresse.

Les premiers temps, j'étais simplement content de la voir là, quand j'arrivais.

10 Après, si je ne la retrouvais pas assise sur le banc, je me demandais ce qu'elle pouvait bien faire, à la place d'être avec moi.

Plus tard, lorsqu'on avait parlé de choses culturelles, je repensais un peu à nos conversations.

15 Des fois, pendant qu'elle lisait, je m'arrêtais sur un mot que je ne savais pas, je lui faisais un petit signe, *prestige, exorbitant, langoureux* ... Elle me l'expliquait ou alors elle me l'écrivait sur un petit carnet qu'elle avait acheté exprès pour, parce que c'était devenu

20 notre usage, et moi, je les cherchais, le soir, en revenant à la maison.

1f. **instructif, -ive:** lehrreich, informativ; hier: interessant. • 4 **sous cape:** im Geheimen (*la cape:* Umhang, Cape; hier: Schutzhaube). • **prendre racine** (f.): Wurzeln schlagen. • 5 **envahir:** überfallen; hier: wuchern. • **le chiendent:** Quecke; Unkraut. • 6f. **passer au Roundup:** mit einem Unkrautvertilgungsmittel behandeln (Marken- und Produktname). • 7 **désherber:** (Unkraut) jäten. • 17 **exorbitant, e:** übermäßig hoch, horrend. • **langoureux, -euse:** schmachtend; verführerisch. • 20 **un usage:** Verwendung; Brauch, Gewohnheit.

Exorbitant – *Voir: cher, exagéré, inabordable.*

Elle m'avait même fait des petits pense-bêtes. Elle m'avait écrit tout l'alphabet dans l'ordre, en gros, sur une feuille blanche. Et puis aussi, pour chaque lettre, 5 les lettres qui s'écrivent après, en seconde et même en troisième position.

Ab, Ac, Ad …

Aba, abc, abd …

Elle avait dû y passer un temps fou, mais c'était va- 10 chement utile, vu que c'est pas le tout de savoir où est le *R*, si on cherche *rempoter*, il faut capter aussi que c'est avant *repiquer* et après *rejeton.*

J'avais affiché ça à côté de mon lit, et je relisais l'alphabet avant de m'endormir, tout fort, A, B, C, D … 15 Et puis je me cherchais des exemples de la vie quotidienne, pour bien me faire souvenir. A comme Annette, B comme biroute, C comme carotte, D comme durite, etc. Margueritte, elle prenait de la place, même sans être là.

20 Et puis, un jour où elle n'est pas venue au parc – parce qu'on n'y va pas tous les jours, faut pas croire –, ça m'est tombé dessus: je me suis dit que je savais rien d'elle, rien, à part son prénom de baptême. Même sous la torture, j'aurais pas pu donner son nom aux 25 flics.

J'ai compris que s'il lui arrivait quelque chose de

1 **inabordable:** unzugänglich; unerschwinglich. • 2 **le pense-bête:** Merkhilfe, Merkzettel, Gedächtnisstütze. • 9 **passer un temps fou à faire qc:** viel Zeit aufwenden, um etwas zu tun. • 11 **capter qc** (fam.): etwas verstehen, kapieren. • 12 **repiquer:** pikieren, ins Freie pflanzen. • **le rejeton:** Ableger; (fam.): Spross, Sprössling. • 13 **afficher:** aufhängen, anbringen, plakatieren. • 18 **la durit(e):** Kühlwasserschlauch. • 22 **tomber sur qc:** auf etwas kommen.

grave, un accident de la circulation sanguine par exemple, personne ne viendrait jamais me le dire puisque je n'avais pas de bien-fondé – *Voir: droit, légitimité* – et du coup je le saurais pas, elle mourrait dans
5 son coin, je ne la verrais plus. Ça m'a foutu une putain de trouille, comme un petit perdu dans un grand magasin. J'ai tenté de me raisonner. Je me disais, Germain, faut arrêter tes conneries, c'est qu'une vieille! Mais j'avais beau me faire la leçon, ça m'a tourné et
10 retourné pendant toute la journée. Du coup, dès que je l'ai revue, la fois suivante, je lui ai demandé où elle créchait, tout de suite, à bout portant.

– J'habite la maison de retraite des Peupliers, depuis bientôt deux ans. C'est à deux pas de la mairie.
15 Juste en face de l'esplanade, vous voyez?

J'ai dit, Mmhh mmhh, je vois très bien.

Tu parles, j'y ai bossé à faire le manœuvre quand ils ont rénové l'étage, il y a quatre ou cinq ans de ça. Je peux même vous dire que si un petit vieux se prend
20 pas le plafond sur la cafetière un de ces beaux matins, ils auront de la chance, parce que les murs porteurs, ils n'ont pas trop compris à quoi ça peut servir, dans cette maison de retraite. Ça tient, d'accord, mais faut le dire vite. Si un jour on se paye un tremblement de

1 **la circulation sanguine:** (Blut-)Kreislauf. • 3 **le bien-fondé:** Berechtigung, Rechtmäßigkeit. • 7 **se raisonner:** sich zusammenreißen. • 10 **retourner qn:** jdn. umdrehen; hier (fig.): jdn. erschüttern, aufwühlen. • 12 **crécher** (fam.): wohnen, hausen, schlafen. • **à bout portant:** aus nächster Nähe, direkt. • 15 **une esplanade:** Esplanade, Vorplatz. • 17 **le/la manœuvre:** Hilfsarbeiter(in). • 18 **l'étage** (m.): der erste Stock. • 19f. **se prendre le plafond sur la cafetière** (fam.): etwa: die Decke auf den Kopf bekommen. • 24 **se payer qc** (fam.): etwas erleben. • 24f. **le tremblement de terre** (f.): Erdbeben.

terre, je réponds plus de rien pour le nombre de morts. Mais ça je l'ai pas dit, par contre. C'est resté à part moi.

Margueritte a continué:

5 – C'est une maison très agréable, je ne regrette pas mon choix: le personnel est toujours disponible et tout à fait charmant.

Quand on sait le prix qu'ils demandent, manquerait plus qu'ils leur fassent la gueule.

10 – Et votre nom de famille, c'est quoi? je lui ai fait, sans aucun rapport.

– Margueritte Escoffier, pourquoi?

J'allais pas lui répondre: c'est pour si un jour il faut venir vous désincarcérer du milieu des décombres.

15 Alors j'ai dit:

– Pour rien. C'est juste pour savoir.

Hop là! Elle est partie au trot comme en quarante, sur «l'envie de savoir, cette curiosité insatiable de l'Homme», et le ci et le mi et le reste. Moi je l'ai lais-

20 sée dire, ça lui fait tellement plaisir de pouvoir discuter. Ça ne me coûte pas beaucoup, de faire comme si je l'écoutais. On peut bien être humain, quand même.

1 **ne plus répondre de rien:** für nichts mehr garantieren. • 2 f. **rester à part moi** (fam.): in mir drin bleiben. • 6 **être disponible:** zur Verfügung stehen. • 9 **faire la gueule à qn** (fam.): jdm. die Schnute ziehen, zu jdm. unfreundlich sein. • 14 **désincarcérer:** befreien, entlassen. • **les décombres** (m.; pl.!): Schutt, Trümmer. • 17 **partir au trot:** lostraben; hier (fig.): loslegen (*le trot:* Trab). • **comme en quarante** (iron.): voller Leidenschaft und Begeisterung (Anspielung auf den Ausdruck: *repartir comme en quatorze*; die Soldaten des Ersten Weltkrieges zogen voller Tatendrang und Begeisterung in den Krieg, ohne zu wissen, welch grausames Schicksal sie ereilen würde). • 18 **insatiable:** unersättlich, unstillbar. • 19 **le ci et le mi** (région.): das Dies und Das.

Ensuite elle m'a raconté sa vie aux Peupliers, le Scrabble, les lotos, les visites au musée, que des trucs à vouloir mourir.

On aurait dit que Margueritte avait lu dans mon intimité, parce qu'elle a soupiré:

– Personne n'a envie de vieillir, vous savez …

Puis elle a ajouté, avec son petit rire:

– Enfin, le privilège de l'âge, c'est que lorsqu'on s'ennuie, au moins, ce n'est plus pour longtemps.

J'ai dit, Aaah ça!

Elle a continué:

– Je n'ai pas à me plaindre: je suis encore en bonne santé, je vis dans un cadre agréable. Ma retraite est très convenable. Non vraiment, il serait indécent de ma part de m'apitoyer sur moi-même. Mais vieillir, vous savez … Vieillir, c'est encombrant.

Ce qui m'a fait penser qu'en ce qui me concerne, vieillir ce sera sûrement une belle galère qu'il vaut mieux que j'évite pour le bien de la société, si je tiens de ma pauvre mère. Tout ça à cause de cette vacherie d'hérédité qu'on hérite sans le vouloir, dès qu'on a un semblant de généalogie. Sans parler de toutes les tares dont je n'ai même pas idée, vu qu'elles sont illégitimes, du côté de mon père et consorts.

Quand j'ai cessé de réfléchir, j'ai entendu que Margueritte se taisait.

14 **indécent, e:** unschicklich, schamlos. • 15 **s'appitoyer sur soi-même:** sich selbst bemitleiden. • 16 **encombrant, e:** sperrig; hier (fig.): störend, lästig; belastend. • 18 **la galère:** Galeere; hier (fam.): Plackerei, Schinderei. • 19 **le bien:** Wohl(ergehen). • 19f. **tenir de qn:** nach jdm. kommen. • 22 **un semblant:** Hauch, Anflug, ein geringes Maß. • **la généalogie:** Abstammung; Abstammungslehre; Stammbaum. • **la tare:** Makel, Fehler, Vorbelastung (*taré, e*, fam.: schwachsinnig).

C'est rare qu'on se regarde en face, elle et moi. C'est normal, sur un banc, parce qu'on est côte à côte. On se parle en suivant de l'œil les minots qui font les Schumacher avec leur trottinette. Ou les nuages, ou les pigeons. Ce qui compte, c'est qu'on s'écoute: ça demande pas de se voir. Seulement, comme elle ne disait rien, je lui ai jeté un coup d'œil au passage. Elle avait l'air tristouille. C'est plus fort que moi, je ne peux pas voir un gamin ou un vieux malheureux. Ça me brasse. Alors j'ai pas pu m'empêcher, j'ai chopé Margueritte aux épaules et je l'ai embrassée sur la joue.

Elle a serré ma main – elle paraissait pas loin de verser sa larmette – et elle m'a dit:

– Germain, vous êtes un homme bien. Vos amis ont beaucoup de chance.

Qu'est-ce que tu voudrais rajouter? Tu réponds oui, tu passes pour un prétentieux.

Tu réponds non, et tu as l'air d'un faux derche.

J'ai fait, Bah!

Ça suffisait bien.

Margueritte a toussoté, elle a dit:

– Dites-moi, si je ne me trompe, nous nous étions bien promis de partager d'autres moments de lecture, vous et moi?

– C'est vrai.

– Or nous ne l'avons plus fait depuis *La Promesse de l'aube*, il y a déjà quelques semaines, n'est-ce pas? …

1 **en face:** hier: von Angesicht zu Angesicht. • 4 **la trottinette:** Tretroller, Kickboard. • 7 **au passage** (m.): nebenbei. • 8 **tristouille** (fam.): *triste*. • 9 **brasser:** mischen, durchkneten; hier (fam.): aufwühlen. • 12 **paraître:** scheinen. • 13 **verser sa larmette** (fam.): losheulen. • 21 **toussoter:** hüsteln (*la toux:* Husten).

– Eh non …

– Il faut remédier à cela! Qu'aimeriez-vous que je vous lise, la prochaine fois?

– Ben … pfff …

5 – Y a-t-il un sujet qui vous intéresserait plus particulièrement?

– …

– L'Histoire, par exemple? Les romans d'aventure? Les romans policiers? Je ne sais pas, moi … les …

10 – Les Indiens d'Amazonie! j'ai coupé.

Et tout de suite après, je me suis dit que j'allais encore passer pour un con.

Mais Margueritte a fait:

– Ah, les Indiens d'Amazonie, oui bien sûr! … Bien

15 sûr … Dans ce cas, sans vouloir m'avancer, je crois que j'ai dans ma bibliothèque un roman qui risque de vous plaire …

J'étais même pas étonné: quand on a des bouquins sur la peste, on en a sur les Jivaro.

20 – C'est de Camus? j'ai dit.

Ah non, pas celui-ci. Mais il est bien quand même, vous verrez.

J'ai dit d'accord, ce qui était vrai.

2 **remédier à qc:** etwas beheben, einer Sache Abhilfe schaffen. • 9 **le roman policier:** Krimi. • 10 **couper:** hier: unterbrechen. • 12 **passer pour qn:** für jdn. gehalten werden. • 15 **s'avancer:** vortreten, vorkommen; hier (fig.): sich zu weit vorwagen.

C'est comme ça que Margueritte m'a lu *Le Vieux qui lisait des romans d'amour*. Elle est arrivée, un lundi, avec un air un peu fiérot. Elle a sorti un petit livre de son sac, elle l'a tapoté en disant:

5 – Voici le roman dont je vous ai parlé l'autre jour.

– Sur les Indiens d'Amazonie? j'ai demandé.

– Oui, entre autres, elle a dit.

– Il est petit, j'ai fait.

Elle a répondu que ce n'est pas à ça qu'on doit ju-
10 ger un livre.

– Pas plus qu'on peut juger les gens sur leur taille, j'ai dit. Tant qu'on a les deux pieds qui touchent terre, c'est qu'on est assez grand, pas vrai?

Et tout de suite après je me suis senti con, parce
15 qu'elle balançait ses deux petites cannes dans le vide. Elle n'a pas le format adulte, pour les bancs.

Elle a suivi mon regard. Elle a haussé les épaules, elle a ri. Elle a dit:

– Nous commençons?

20 – Banco! j'ai fait.

Et alors, elle:

– *Le ciel était une panse d'âne gonflée qui pendait très bas, menaçante, au-dessus des têtes.*

– Ça, c'est une métaphore, j'ai fait.

25 Elle a répondu, Oui tout à fait, et ça m'a fait plaisir. Et puis elle a repris et le reste a suivi.

15 **balancer:** schaukeln, baumeln. · 20 **banco!:** bingo! · 22 **la panse:** Pansen; hier (fam.): Wanst, Bauch.

Je vais vous dire: je ne savais pas que j'aimais les histoires à ce point.

J'avais bien apprécié *La Peste*, parce que ça me rappelait cette péripétie – *Voir: événement imprévu* – de mon voisin qui s'était fait bouffer la tête par son chien – et qu'on a beau faire on tient toujours un peu aux souvenirs d'enfance. Et puis j'avais été impressionné par cette idée des rats qui grouillent, et tout le reste. L'autre livre, avec l'auteur que sa mère aimait trop et réciproquement, et qui cherche des sources et des fontaines sans jamais les trouver parce que la vie ne tient pas ses promesses, c'était pas mal non plus, et pourtant c'était long.

Mais ce *Vieux qui lisait* ..., putain! Impossible de décrocher, même quand une minette en jogging passait en bondissant des deux seins, dans l'allée.

J'étais plus cramponné qu'une tique à son chien.

Déjà, j'ai bien aimé parce que c'était très court. En plus, je me suis joint l'utile à l'agréable en apprenant une chiée de trucs intéressants sur les Indiens Jivaro – qui s'appellent des Shuar, aussi, mais c'est pareil. Par exemple, ils se taillent les dents en pointe et ils n'ont jamais de caries, ce qui vaut mieux pour eux, parce que les dentistes de jungle, ce sont de vrais bouchers! Y a qu'à voir au début du bouquin, quand tous ces pauvres types du village viennent se faire charcuter

4 **la péripétie:** unvorhergesehenes Ereignis, Zwischenfall. • 8 **grouiller:** durcheinanderlaufen, wimmeln. • 15 **décrocher** (fam.): sich losreißen, abschalten. • 16 **bondir:** (auf)springen, hüpfen. • 17 **la tique:** Zecke. • 19 **joindre l'utile** (m.) **à l'agréable** (m.; loc.): das Angenehme mit dem Nützlichen verbinden. • 22 **tailler:** (zurecht)stutzen, schleifen, behauen, schnitzen. • 26 **charcuter qn** (fam.): an jdm. herumschnipseln, jdn. übel zurichten (*le charcutier:* Metzger, Fleischer).

par l'autre enfoiré de docteur Loachamín – qui leur arrache les chicots à grands coups de jurons, avant de leur fourguer des dentiers d'occasion même pas à leur taille, à ce que lisait Margueritte:

5 *– Maintenant, voyons. Comment tu le trouves, celui-là?*

– Il me serre. Je peux pas fermer la bouche.

– Allons donc! Tu parles d'une bande de délicats! Bon, on en essaye un autre.

10 *– Il flotte. Si j'éternue, il va tomber.*

– T'as qu'à pas t'enrhumer, couillon. Ouvre la bouche.

Je les voyais comme si j'y étais. C'était encore plus fort qu'avec Albert Camus. J'en avais des fourmis 15 dans les pieds, tellement ça me rappelait quand j'étais minot, avec notre dentiste, le docteur Tercelin, qui me balançait de grandes tapes sur la tête si je bougeais parce qu'il me faisait mal.

– Parfois un patient poussait un hurlement qui affo- 20 *lait les oiseaux, et il écartait la pince d'un coup de poing en portant sa main libre au manche de sa machette.*

Je lui en aurais foutu, moi, des coups de machette! Ce docteur Tercelin, c'était un vrai connard. Il hurlait

2 **le chicot:** (Zahn-)Stumpf. • **à grands coups de jurons:** unter lautem Fluchen (*le juron:* Fluchen). • 3 **fourguer qc à qn** (fam.): jdm. etwas andrehen. • **le dentier:** Gebiss. • **d'occasion** (f.): gebraucht, aus zweiter Hand. • 8 **allons donc!:** ach komm!, nun! • **le délicat / la délicate:** Empfindsame(r); hier (fam.): Memme. • 10 **flotter:** schwimmen; hier (fig.): zu weit, groß sein, lose sitzen. • 11 **s'enrhumer:** sich erkälten. • **le couillon / la couillonne** (fam.): ‚Pfeife', Dumpfbacke, Blödmann / blöde Kuh. • 17 **la tape:** Klaps. • 19 f. **affoler:** erschrecken, Angst machen; hier: aufschrecken. • 20 **une pince:** Zange. • 23 f. **hurler après qn:** jdn. anschreien.

après tous les gosses qui venaient seuls à la consultation, mais quand leurs mères les accompagnaient, c'était tout miel et sucre d'orge. Moi, la mienne, elle me plantait là et elle partait faire ses courses, sous prétexte que les odeurs d'éther, ça lui reproche l'estomac. Quand la torture était finie, j'allais l'attendre sur le pas de la porte, avec ma fluxion de gencive et un goût de clou de girofle pourri dans la bouche. Putain, ça m'aurait bien arrangé d'en trouver, des fontaines! …

Je me souvenais de tout ça, en écoutant Margueritte et je pensais, C'est dingue de voir tout ce que ça te fait revenir du passé, un bouquin.

Margueritte, elle me lisait tout, sans le faire à l'économie:

– *Tiens-toi comme un homme, connard. Je sais que ça te fait mal, et je t'ai déjà dit à qui c'est la faute. Alors ne fais pas le méchant. Assieds-toi là et montre-nous que tu as des couilles au cul.*

Rien que l'entendre parler de couilles au cul, franchement, ça valait dix.

Mais du coup, lorsque j'aurais voulu qu'elle relise un passage, je n'osais pas lui demander. Alors j'ouvrais grand mes oreilles, je tâchais de tout retenir.

1 f. **la consultation:** Sprechstunde; Beratung. • 3 **être miel** (m.) **et sucre d'orge** (loc.): zuckersüß sein (*le sucre d'orge*, m.: Zuckerstange aus Zucker und Gerstensud). • 5 **reprocher l'estomac** (m; fam.): den Magen umdrehen. • 7 **une fluxion:** Entzündung. • **la gencive:** Zahnfleisch. • 8 **le clou de girofle** (m.): Gewürznelke. • **pourrir:** verfaulen, verwesen. • 9 **arranger qn:** jdm. gelegen kommen, recht sein. • 13 f. **le faire à l'économie** (f.; fam.): etwa: etwas auslassen; sich zurücknehmen. • 15 **se tenir:** sich benehmen. • 18 **avoir des couilles** (f.) **au cul** (fam.): keine Memme, ein richtiger Mann sein. • 20 **valoir dix** (fam.): etwa: es wert sein.

Les Jivaro sont pas des cons, je peux vous dire. Ils noircissent leurs machettes pour ne pas se faire repérer par les singes avec les reflets du soleil, quand ils vont à la chasse. Je devrais faire ça avec mon Opinel. Ils ont des serpents de dix mètres de long, plus larges que ma cuisse, et des silures de soixante-dix kilos. Et, soit dit en passant, c'est pas demain la veille que je pêche un morceau pareil en allant à l'étang.

Pourtant, moi, je me verrais bien, fier comme un Jivaro, ramener un silure de soixante-dix kilos chez Francine. Sûr que Marco en ferait une attaque, lui qui est champion départemental de la pêche au coup en eau close, avec amorçage au rappel.

Il est gentil, Marco, mais il n'a pas d'humour pour ce qui touche à sa fierté.

J'ai appris aussi que l'Amazonie, en fait, c'est qu'un pays de merde. Il y pleut des seaux, c'est plein de boue, de vase et de scorpions, pas du tout l'idée que je m'en faisais et ça, c'est une vraie désillusion – *Voir: déception, désappointement.* L'autre désillusion, c'est que les couples shuar ne s'embrassent jamais sur la bouche. Pas une pelle, un mimi, rien.

Par contre, quand ils font l'amour – je dis «faire l'amour», maintenant, je préfère – la femme se met

2 **noircir:** schwärzen. • 6 **le silure:** Wels. • 7 **c'est pas demain la veille que ...** (fam.): das wird noch eine Weile dauern bis ... • 12 **la pêche au coup:** Stippangeln. • 13 **une eau close:** stehendes Gewässer. • **un amorçage de rappel** (m.): zeitweises Beködern, Anfüttern der Fische. • 15 **toucher à qc:** hier (fig.): etwas betreffen, angehen. • 17 **pleuvoir des seaux** (loc.): wie aus Kübeln regnen. • 18 **la boue:** Schmutz, Schlamm, Matsch. • **la vase:** Schlamm, Schlick. • 19 **la désillusion:** Desillusion, Enttäuschung. • 20 **le désappointement:** Enttäuschung. • 22 **la pelle** (fam.): Zungenkuss. • **le mimi** (fam.): Bussi.

accroupie par-dessus, parce qu'elle trouve *que cette position lui fait mieux sentir l'amour*, ce qui n'est pas non plus pour me déplaire, sans vouloir me répandre sur mon intimité.

Enfin ce livre dont je vous parle, là, je crois que je le relirai plusieurs fois dans ma vie, si le Seigneur me fout la paix avec la cataracte et l'Alzheimer, c'est à Lui d'en juger, je n'ai pas à lui dicter Sa conduite.

Malgré tout, maintenant que j'en connais davantage – grâce à monsieur Sepulveda – je vois que Jivaro ce n'est pas un bon plan. Le bouquin que m'avait offert mon oncle ne disait pas tout ça, mais il était en solde, c'est sûrement la raison.

Celui-là, Margueritte me l'a donné quand elle l'a eu fini, ce qui nous a pris une bonne semaine. Et elle m'a dit:

– Germain, je ne vais plus pouvoir vous lire de romans encore très longtemps, je le crains ...

– Pourquoi, ça vous embête?

– Non, du tout! C'est un vrai plaisir. Seulement, je n'y vois plus très bien ...

J'ai demandé:

– C'est la cataracte? (parce que j'y avais pensé à titre personnel).

– Non, hélas, elle a dit. C'est plus grave que ça.

– Le glaucome? j'ai fait, vu que ma mère en a – entre autres conneries dont il faut que j'hérite.

– Non plus. C'est une maladie qui ne se soigne pas.

1 **accroupi, e:** in der Hocke, hockend. • 3 **déplaire:** missfallen; nicht zusagen. • 3f. **se répandre sur qc:** sich über etwas ausbreiten; hier (fam.): sich über etwas auslassen. • 7 **la cataracte:** grauer Star. • 8 **dicter:** diktieren, vorschreiben. • **la conduite:** hier: Verhalten. • 15 **prendre:** hier: dauern. • 24 **à titre personnel:** persönlich. • 26 **le glaucome:** grüner Star.

On l'appelle la dégénérescence maculaire liée à l'âge. C'est un peu prétentieux comme nom, vous ne trouvez pas?

– C'est compliqué, surtout. Ça vous fait quoi?

5 – Une tache, juste au centre de l'œil, qui commence déjà à m'empêcher de lire. Bientôt, tout ce qui sera devant moi sera gris. Je ne verrai plus que ce qui se trouve sur les côtés.

– Merde! j'ai dit.

10 J'ai ajouté, Pardon.

– Oh, je vous en prie, ne vous excusez pas. Je crois bien que dans certains cas, on peut s'autoriser à dire «merde».

– Mais là, vous me voyez encore? Là?

15 – Oui, bien sûr. Seulement, d'ici quelque temps, je ne vous distinguerai plus. Je ne pourrai plus voir les visages, lire, coudre, ou compter les pigeons …

Ça m'a fait drôle, de l'entendre me dire ça. Surtout qu'elle ne faisait pas dans le drame, elle expliquait ça
20 gentiment.

Je me suis dit, Pour une maladie à la con, c'est une maladie à la con, et que le Seigneur me pardonne, vu que c'est à Lui qu'on la doit.

Margueritte m'a dit:

25 – Ce qui me manquera surtout, c'est la lecture.

– À moi aussi, j'ai fait.

Et ça, voyez, j'aurais jamais pensé que je le penserais. Sans parler de le dire.

1 **la dégénérescence maculaire liée à l'âge** (m.): altersbedingte Macula-degeneration (AMD). • 15 **d'ici …:** in … • 19 **ne pas faire dans le drame** (fam.): kein Drama daraus machen. • 28 **sans parler de …:** ganz zu schweigen von …

Je suis rentré chez moi avec ce truc mieux planté dans la tête qu'une vrille dans du balsa. Margueritte qui voyait flou. Les livres qu'elle n'allait plus pouvoir lire. Qu'elle pourrait plus me lire, à moi. J'entendais cette voix de mon for qui fait toujours ses commentaires, quand j'ai une contrariété. Pour une fois, elle gueulait pas. Elle était comme moi, cassée, à me dire, *Germain, démerde-toi comme tu veux, mais tu peux pas la laisser comme ça, cette vieille.*

– Ah ouais? Et je fais quoi? J'y fous un coup de lave-glace pour lui désembuer les yeux? Putain, qu'est-ce que j'y peux, si elle devient bigleuse?

Germain, ta gueule. Arrête de parler avant de réfléchir.

Je pensais, Voilà, elle ne pourra même plus jouer au loto ou au scrabble et ça va lui manquer, même si c'est des jeux dont, personnellement, je ne vois pas bien l'intérêt.

Je tournais, je virais comme un chat malheureux à qui on vient de planquer sa litière. Je me disais que Margueritte, elle est pas si costaud, faut pas croire.

2 **le balsa:** Balsaholz (leichte und einfach zu bearbeitende Holzart). • 7 **cassé, e** (fam.): fertig, kaputt. • 8 **se démerder** (fam.): sich durchschlagen, zurechtkommen; sich etwas einfallen lassen. • 10 f. **y foutre un coup de lave-glace** (m.; fam.): mit den Scheibenwischern drübergehen. • 11 **désembuer:** frei machen. • 12 **bigler** (fam.): schlecht sehen; schielen (*être bigleux, -euse:* kurzsichtig sein; schielen). • 19 **tourner:** hier: sich im Kreis drehen. • **virer:** sich im Kreis drehen. • 20 **la litière:** Katzenklo. • 21 **costaud, e** (fam.): stark (*le costaud*, fam.: Kraftprotz).

Elle est lourde comme un pois chiche, elle est plus vieille que les rues. Un coup de vent, elle s'enrhume. Elle fait sa fière, ah ça, c'est sûr! Elle rigole, elle rigole, mais elle va faire quoi, toute seule au milieu du
5 gris, sans même ses bouquins pour tenir compagnie, déjà qu'elle a pas eu de gosses? Ça me bourrait de grands coups de poing dans la gueule, voyez? C'est là que j'ai pensé – mais en vrac, de façon pas bien dégrossie – que je ne pourrais pas la laisser tomber, Mar-
10 gueritte. J'aurais beau faire, c'était trop tard, elle me tenait les tripes avec son petit rire, sa robe à fleurs et ses cheveux violets. Quatre-vingt-six balais, et tout ça pour finir comme une canne blanche? Bordel, qu'est-ce qu'il fout, ces temps-ci, le Seigneur, j'ai pensé. Tant
15 pis si ça Le vexe, si on ne supporte pas la critique, faut pas se mêler d'inventer.

Je me répétais, Margueritte, elle va perdre la vue et moi, *moi*, je vais perdre Margueritte et les discussions sur le banc, et les mon cher Germain, savez-vous ...

20 Quand elle n'y verra plus, elle ne viendra plus, et je paumerai tout: les petits papiers pour ne pas me gou-

1 **le pois chiche:** Kichererbse. • 5 **tenir compagnie** (f.) **à qn:** jdm. Gesellschaft leisten. • 6f. **bourrer des grands coups de poing à qn** (fam.): jdm. schwer zu schaffen machen, jdn. fertig machen (*le poing:* Faust). • 8 **penser en vrac** (fam.): nichts Zusammenhängendes denken (*en vrac:* lose, offen; durcheinander). • 8f. **dégrossir:** grob bearbeiten; grob umreißen. • 9 **laisser tomber qn:** jdn. hängen, im Stich lassen. • 11 **tenir les tripes à qn** (fam.): etwa: jdn. in seinem Bann gefangenhalten, in seinem Innersten ergreifen (*les tripes*, f.: Eingeweide, Gedärme). • 14 **ces temps-ci:** in letzter Zeit. • 16 **se mêler de faire qc:** etwa: auch noch etwas tun wollen (*se mêler de qc:* sich in etwas einmischen). • 21 **paumer qc** (fam.): etwas verlieren (*paumé, e:* verloren, ganz allein). • 21f. **se gourer** (fam.): sich vertun, falsch liegen.

rer, en cherchant dans le dictionnaire. Et les livres, et le reste.

Je me suis dit que j'aurais beau faire, je ne pourrais pas lui changer la fatalité du destin, à Margueritte. Cette saloperie de je sais plus trop quoi allait continuer son chemin dans ses yeux, jusqu'à ce qu'elle soit arrivée à son but, que Margueritte soit aveugle.

Et ça, c'était une idée qui me foutait sacrément le bourdon.

Quand on aime quelqu'un, il nous fait plus de peine à lui tout seul en étant malheureux, que tous ceux qu'on déteste s'ils se mettaient ensemble à nous pourrir la vie.

Margueritte, un jour, elle m'avait cité un certain monsieur Bâ, un écrivain d'Afrique, qui a dit un truc tout simple, mais chiadé: *Quand un vieux meurt, c'est une bibliothèque qui brûle*, quelque chose dans ce goût-là. Eh ben, c'était pile poil comme ça que je le voyais, maintenant, le problème. Je me sentais tout à fait pote avec ce monsieur Bâ, même si on n'a pas l'honneur de se connaître, lui et moi. Sauf que cette bibliothèque où on foutait le feu, c'était la mienne, pas de bol. Et le pire c'est qu'elle allait cramer juste au moment où je venais enfin de la trouver sur le plan de la ville.

Et ça, voyez, c'était pas supportable, même pour une métaphore.

10 **faire de la peine:** traurig machen. • 10f. **à lui tout seul:** er ganz allein, einzeln. • 17f. **dans ce goût-là** (fam.): in der Art. • 18 **pile poil** (fam.): exakt, ganz genau. • 23 **cramer** (fam.): abbrennen; anbrennen.

J'avais trop manqué de source et de fontaine, faut croire. Si le Seigneur s'avisait de couper le débit maintenant, j'allais gueuler comme un chien, moi aussi. Parce que je devais bien me rendre à l'évidence: Margueritte, elle comptait pour moi. Elle comptait comme une grand-mère, mais en mieux, parce que les grand-mères, soit elles sont inconnues du côté de mon père, soit on ne la voit pas sauf pour les occasions, et ces jours-là elle insulte ma mère.

Je crois bien que c'est là que l'idée m'est venue. Cette idée d'adopter Margueritte. Je sais que ça ne se peut pas, d'adopter une vieille majeure. Mais la loi est mal faite, moi je dis qu'on devrait pouvoir. Si les choses étaient comme il faudrait qu'elles soient, elles se seraient passées comme je vais vous dire: Margueritte aurait eu une fille. Cette fille, plus tard, ce serait devenue ma mère – pas la mienne vraiment, une autre, en beaucoup mieux –, parce que je serais né d'une histoire d'amour entre mon père et elle, au lieu d'être issu par mégarde. On aurait tous été heureux, comme des cons. Voilà.

Seulement, pourquoi le Seigneur ferait simple, quand Il peut faire compliqué? Je dis ça sans Le critiquer, mais j'ai quand même un peu les boules.

Je me disais, Margueritte, elle me parle et en plus elle m'écoute. Si je lui pose des questions, elle me ré-

2 **s'aviser de faire qc:** sich unterstehen etwas zu tun. • **couper le débit:** den Zulauf stoppen (*le débit:* Pumpleistung, Durchflussmenge). • 4 **se rendre à l'évidence** (f.): sich den Tatsachen beugen, etwas wahrhaben müssen. • 20 **être issu, e de qc:** aus etwas abstammen, aus etwas entstanden sein. • **par mégarde** (f.): aus Versehen. • 24 **avoir les boules** (f.; fam.): frustriert, deprimiert sein; Angst haben.

pond. Elle m'apprend toujours quelque chose. Quand je suis avec elle, je ne pense jamais au vide qui reste à remplir dans ma tête, mais juste au plein que je lui dois déjà.

5 Alors on pourrait bien se foutre de ma gueule jusqu'à la fin de l'éternité et me trouver neuneu, j'en avais plus rien à branler: Margueritte, c'était ma fée. D'un coup de baguette magique, elle m'avait changé en jardin potager. J'étais rien qu'un harmas, et voilà
10 qu'avec elle je me sentais pousser des fleurs, des fruits, des feuilles et des branches, comme dit Landremont quand il drague une fille –, d'ailleurs j'ai jamais bien compris pourquoi.

Margueritte, c'était mon puits de sciences. Et à
15 cause d'un coup du sort, peut-être que bientôt, moi aussi, je serais obligé de me plaindre qu'*il n'y a plus de puits, il n'y a que des mirages,* comme dit le pauvre Gary.

6 **neuneu** (fam.): plemplem. • 6f. **n'avoir rien à branler de qc** (fam.): auf etwas pfeifen. • 8 **la baguette magique:** Zauberstab. • 8f. **changer qn en qc:** jdn. in etwas verwandeln. • 9 **le harmas** (prov.): Brachland, unbebautes Gelände. • 15 **le coup du sort:** Schicksalsschlag.

J'étais dans une putain de colère après Dieu et je ne compte pas m'excuser ce coup-ci.

Qu'il ne m'exauce pas mes souhaits, qu'il me fasse une vie de merde, passe encore. J'ai jamais été bon
5 élève à dire mes prières et tout le tralala. Le Notre Père qui est aux cieux, je le sais dans les grandes lignes, quelques morceaux par-ci par-là, que Votre règne arrive, que Votre volonté soit faite ainsi soit-il et circulez! Je ne fous jamais les pieds à l'église, sauf quand on
10 m'invite aux mariages et baptêmes ou aux enterrements.

Je vis un peu dans le péché si on se tient aux dix commandements.

Par exemple, pour le troisième, j'ai déjà prononcé
15 Son nom *de manière abusive*, et le fait que j'étais bourré, c'est pas forcément une excuse qui peut plaider en ma faveur.

Avec le cinquième, *Tu honoreras ton père et ta mère,* c'est Lui qui a mal fait Son travail.

3 **exaucer:** erhören, erfüllen. • 4 **passe encore** (fam.): kein Problem!, ist noch zu ertragen! • 5 **le tralala** (fam.): Trara, Drum und Dran. • 5f. **Notre Père qui est au cieux** (fam.): eigtl.: *Notre Père qui êtes aux cieux*: Vater unser, der Du bist im Himmel. • 7 **par-ci par-là:** hier und da. • 7f. **Que Votre règne** (f.) **arrive:** Dein Reich komme. • 8 **Que Votre volonté** (f.) **soit faite:** Dein Wille geschehe. • **ainsi soit-il:** Amen! • 8f. **circulez!:** weitergehen! • 12 **le péché:** Sünde. • 12f. **les dix commandements** (m.): die Zehn Gebote. • 14f. **prononcer Son nom de manière abusive:** den Namen des Herrn missbrauchen (3. Gebot). • 16f. **plaider en faveur** (f.) **de qn:** für jdn., zu Gunsten von jdm. sprechen. • 18 **Tu honoreras ton père et ta mère:** Du sollst Vater und Mutter ehren (5. Gebot).

Mon père, j'en ai pas. Ma mère, j'en peux plus.

Pour le *Tu ne commettras pas d'adultère,* j'ai pas vraiment fauté-fauté, seulement Il a placé la barre un peu haut, vu que si on L'écoute, *si quelqu'un jette sur* 5 *une femme un regard chargé de désir, il a déjà commis l'adultère avec elle dans son cœur.* Et pour le coup, je suis disqualifié, parce que la femme de Julien et celle de Jacques Devallée, désolé, mais elles sont bandantes.

Pour le huit, *Tu ne voleras point,* je ne suis pas blanc-10 bleu non plus, rapport à mon couteau et à diverses choses, on va pas détailler, on n'est pas aux impôts.

Avec tout ça, si le Seigneur me laisse au coin, je l'ai cherché, j'ai qu'à fermer ma gueule.

Mais Margueritte?

15 Elle est gentille, elle dérange personne, elle lit comme à la radio, et c'est sur elle que ça tombe? C'est anormal, comme injustice! Alors que j'en connais qui auront passé leur vie à emmerder les autres et puis qui vont finir en dormant dans leur lit, à quatre-vingt-20 quinze ans, bon pied bon œil jusqu'à la fin, à croire que la bile, ça conserve aussi bien les cons que le vinaigre, les cornichons.

2 **Tu ne commettras pas d'adultère:** Du sollst nicht ehebrechen (7. Gebot) (*un adultère:* Ehebruch). • 3 **fauter** (vx.): einen Fehler begehen, sündigen. • 3 f. **placer la barre plus haut** (loc.): seine Ansprüche höher schrauben, den Stab höher legen (*la barre:* Stab, Stange). • 4 f. **jeter sur une femme un regard chargé de désir:** des Nächsten Weib begehren (10. Gebot). • 8 **bandant, e** (fam.): aufregend, erregend. • 9 **Tu ne voleras point:** eigtl.: *Tu ne déroberas point:* Du sollst nicht stehlen (8. Gebot). • 9 f. **être blanc-bleu** (loc.): einen guten Ruf haben, ein unbeschriebenes Blatt sein. • 13 **chercher qc:** hier (fig.): etwas verdienen. • **fermer la gueule** (fam.): die Schnauze halten. • 20 **avoir bon pied bon œil** (loc.): noch sehr rüstig, gut beieinander sein. • 21 **la bile:** Galle(nflüssigkeit); hier (fig.): Verbitterung.

J'étais tellement dégoûté que j'ai fini par en parler avec Annette.

C'était pas une chose simple, parce que les confidences, on sait jamais où on va les finir.

5 On croit qu'on va déballer deux, trois choses, c'est tout, mais c'est pareil que si on avait savonné l'escalier, on fait un pas de trop, putain! on se retrouve en bas des marches, tout esquinté d'en avoir autant dit.

Parler de Margueritte, en fait, j'ai trouvé ça très in-

10 discret par rapport à moi-même. J'aurais pas cru devoir en raconter autant. Parce que du coup il fallait que j'explique où on s'était rencontrés, tous les deux. Et parler du jardin public, où je glande pour ainsi dire tous les après-midi, parce que tout seul chez moi ça

15 me fout des angoisses – mon potager, je compte pas non plus y passer ma journée, surtout lorsque ma mère y fait l'épouvantail. Et il fallait parler des heures à écouter cette vieille mamie me lire des histoires. De ces conversations qu'on a, elle et moi, sur la vie, les

20 pigeons, les morbacs et le reste. Des livres qu'elle me donne, et qu'ensuite je lis avec le surligneur et en suivant du doigt sinon c'est le bordel: je me refais trois fois la même ligne et je comprends plus rien à ce qui est écrit. Sans compter le dictionnaire dont je me sers

25 souvent, maintenant, grâce aux petits papiers que me fait Margueritte – mais bientôt, comment on fera? Et

3f. **la confidence:** vertrauliche Mitteilung, Geständnis (*faire une confidance:* etwas gestehen). • 6 **savonner:** mit Seife einschmieren. • 8 **esquinter** (fam.): kaputtmachen, ramponieren, fertigmachen. • 10 **par rapport** (m.) **à qn:** jdm. gegenüber. • 15 **foutre des angoisses** (f.) **à qn:** jdm. Angst machen. • 17 **un épouvantail:** Vogelscheuche. • 22f. **se refaire trois fois la même ligne** (fam.): drei Mal dieselbe Zeile lesen.

cette putain de trouille, justement, de ne plus jamais rien pouvoir lire tout seul parce que si Margueritte ne me raconte pas tout le livre d'abord, j'ai peur que ça me rentre par les yeux et que ça ressorte de suite, sans même faire un tour par la compréhension.

Je ne lui ai pas tout dit, à Annette. C'était déjà beaucoup d'avouer à quel point je suis un pauvre gland, qui lit à peine mieux qu'un gosse de sept ans. Alors le monument aux morts, les pigeons, pas la peine. On verra ça plus tard, je me suis dit. Peut-être.

Annette, elle en a eu les larmes quand j'ai parlé de cette maladie dont je sais plus le nom.

Elle a dit:

– La pauvre, qu'est-ce qu'on peut y faire?

J'ai répondu, On peut y faire rien, c'est bien ça qui m'emmerde.

Elle a fait, Ah, ça, je te comprends!

– Je sais pas, j'ai dit. Je sais pas si tu peux me comprendre, par rapport aux livres, tout ça.

– C'est pas grave, tu sais, ça change rien pour moi, si tu n'es pas bien fort pour la lecture. Tu es fort pour d'autres choses. Et des livres, je peux t'en lire.

– T'en as?

– Pas trop. Mais on en trouve à la bibliothèque, rue Emile Zola.

– Ouais mais aussi, tu vois combien ça coûte?

– Ça coûte rien, justement, c'est gratuit! Ma sœur y va pour ses gamins, et elle peut emprunter trois bouquins à la fois, pour quinze jours.

J'ai dit, On peut en prendre moins de trois?

Elle m'a répondu, On peut en prendre un seul, ou aucun, si on veut, et c'est pas un problème.

– Et le garder plus longtemps, ça se peut?

– Je ne sais pas trop. Je crois qu'après tu payes des amendes. Je demanderai à ma sœur.

Ensuite on a parlé un moment d'autre chose et puis de rien du tout, à part avec nos mains.

5 Cette fille elle me rend dingue, à croire qu'elle se badigeonne en entier à la glu: je la touche, je suis foutu! C'est pire qu'un aimant.

Aimant, ça doit venir du verbe aimer, peut-être.

2 **une amende:** Bußgeld, Strafe. • 5f. **se badigeonner de qc:** sich mit etwas einreiben. • 6 **la glu:** Leim, Klebstoff. • **être foutu, e** (fam.): im Eimer, erledigt sein. • 7 **un aimant:** Magnet.

Je suis passé chez Youss'.

Ça m'a pris comme ça, sans aucun préalable. Je suis allé le voir vers huit heures du soir, c'est le meilleur moment pour le trouver chez lui.

5 Il a ouvert, j'ai fait:

– Alors, t'es con, ou quoi?

– Salut, tu veux du thé? Entre! il a dit.

Je me suis assis sur un pouf, pour rester civil malgré tout mais, putain, j'ai horreur de ça, je sais pas où ran-
10 ger mes cannes et ça me fout des crampes dans les pieds.

Youssef m'a dit:

– T'as l'air d'avoir les boules, non?

J'ai foncé bille en tête.

15 – C'est quoi, cette histoire avec Stéphanie? C'est vrai, ça, que tu es avec elle?

– Ouais. Tu veux de la menthe?

Et là, j'ai constaté que j'étais en pleine évolution de l'espèce. Parce qu'au lieu de lui donner des conseils
20 de bon sens du genre, T'as raison, elle est bonne, profite! j'ai fait:

– Et Francine, alors, t'en fais quoi?

2 **prendre qn:** hier (fig.): jdn. packen. • **le préalable:** Vorbedingung; hier: Vorwarnung. • 8 **le pouf:** Puff, Sitzsack, Sitzkissen. • **civil, e** (litt.): höflich, gesittet, korrekt. • 9 **avoir horreur** (f.) **de qc:** etwas hassen, nicht ausstehen können. • 10 **foutre des crampes** (f.; fam.): Krämpfe auslösen. • 14 **foncer bille en tête** (f.; fam.): etwas geradeheraus sagen (*foncer:* Gas geben; *la bille:* Murmel). • 18 f. **être en pleine évolution de l'espèce** (fam.): etwa: dabei sein, sich weiterzuentwickeln (*une espèce:* Art, Sorte, Gattung). • 20 **être bon, ne** (fam.): heiß sein.

Youssef a haussé les épaules.
– Bah, j'en sais rien, tu vois. J'hésite.
– Tu as des sentiments, pour Stéphanie?
– Je sais pas trop. Je crois que je me suis laissé em-
5 baller, elle me tournait autour, et puis elle est mi-
gnonne …
Sûr qu'on ne pourra pas prouver le contraire! Elle a une paire de seins, rien qu'à les voir, tu hisses les cou-
leurs.
10 – Elle est jeune quand même …
– Et Francine, elle l'est plus, tu vois, c'est le pro-
blème. Mais je suis bien aussi, quand je suis avec elle. C'est ça qui me fait chier. Je sais pas qui choisir.
Il avait l'air drôlement embêté. Moi, Youssef, je me
15 sens comme un père pour lui. Je lui parle pareil que si c'était mon fils.
– Tu crains pas de te retrouver la queue entre deux chaises, avec tes conneries? je lui ai dit.
– Tu ferais quoi, toi, à ma place?
20 – …? Pfff, alors ça! … J'y suis pas, à ta place. J'ai déjà du mal à être à la mienne, tu vois, alors excuse-
moi, mais …
– Comment elle va, Francine?
– Comment tu veux qu'elle aille? Elle chiale.
25 – Merde.
– Eh oui. Bon, tu m'en voudras pas si je m'assieds sur un tabouret, parce que ton gros coussin, là, ça me tue les genoux …

4f. **se laisser emballer** (fam.): sich einwickeln, verführen lassen. • 8f. **hisser les couleurs** (f.): die Fahnen hissen; hier (fam.): einen Ständer bekommen. • 17f. **se retrouver la queue entre deux chaises** (f.): eigtl.: *se retrouver le cul entre deux chaises* (loc.): zwischen zwei Stühlen sitzen. • 27 **le tabouret:** Hocker, Schemel.

– Viens dans la cuisine. J'ai fait de la chorba, ça te dit?

On a parlé de Francine, d'Annette, de nos mères – dont la sienne en particulier qui est morte quand il
5 avait neuf ans, tout le monde a pas tant de chance.

Youssef m'a dit que ce qui l'embête le plus, chez Francine, c'est qu'elle est périmée pour lui faire des mômes. Et Youss', les gosses, il en est dingue, il a élevé ses cinq sœurs. Surtout Fatia, la petite de dix-sept
10 ans, qui est folle comme une belette, mais tellement mignonne qu'elle mènerait le monde entier à la baguette et par le bout du nez, cette morpionne.

Alors le Youss', il s'imagine pas sans biberons ni couches, ce que j'aurais trouvé immoral pour un
15 homme il n'y a pas si longtemps. Mais justement ce qui était drôle c'est que, de l'écouter, ça me donnait l'envie.

– T'es sûr qu'elle ne peut plus t'en faire un, Francine?
20 – Bah, elle a quarante-six ans, alors bon …

– Eh ben, vous n'avez qu'à en adopter. Elle peut peut-être plus en fabriquer, mais pour les élever, elle saura bien y faire. Les gamins malheureux, c'est pas exceptionnel au point d'en être rare, tu sais.

1 **la chorba:** algerische Suppenspezialität mit Lamm oder Hühnchen. • 1 f. **ça te dit / vous dit?:** hast du / haben Sie Lust drauf? • 7 **être périmé, e:** abgelaufen, veraltet sein; hier (fam.): zu alt sein. • 10 **être folle comme une belette:** etwa: ein verrücktes Huhn sein (*la belette:* Wiesel). • 11 f. **mener qn à la baguette** (loc.): jdn. an der Kandare haben, herumkommandieren. • 12 **mener qn par le bout du nez** (loc.): jdn. an der Nase herumführen. • 13 **le biberon:** (Baby-)Fläschchen. • 14 **la couche:** Windel. • 20 **alors bon:** von daher. • 24 **au point de** (+ inf.): derart, so sehr, (als) dass …

– Tu crois ça, il m'a dit.

J'ai répondu:

– Je crois pas, je suis sûr.

– Mais bon, on a seize ans d'écart, aussi …

5 – Eh ben ça tombe bien: avec le décalage horaire, vous claquerez ensemble, au lieu qu'elle soit ta veuve comme elles font d'habitude. Franchement, tu t'en fais pour rien.

– T'as peut-être raison, il a dit.

10 On s'est quittés sur ça, et en rentrant je me suis rendu compte qu'on avait fait que parler de gonzesses. Et puis qu'Annette me manquait et pas seulement pour sa peau.

Du coup je suis allé chez elle.

5 **le décalage horaire:** Zeitverschiebung; hier (fam.): Altersunterschied. • 7 f. **s'en faire** (fam.): sich Sorgen machen.

J'ai réfléchi.

Et je suis arrivé à cette conclusion finale que si Annette peut me lire des bouquins, je peux bien essayer de m'en lire tout seul, moi aussi, un ou deux. En entier. Si j'y arrive, peut-être que je pourrai lui faire la lecture, aussi, à Margueritte, quand elle n'y verra plus.

Voilà ce que je me suis dit.

Je suis allé à la bibliothèque, parce qu'Annette en avait parlé, et à cause de monsieur Bâ et de ses vieux qui meurent. C'est pratique, c'est entrée libre.

À l'intérieur, des bouquins, il y en avait des bennes! À vous dégoûter d'en lire un parce que, comme dit Landremont, trop de choix tue le choix.

Je suis resté planté là sans trop savoir quoi décider, si bien qu'au bout d'un moment, une bonne femme assise derrière un bureau a fini par me demander:

– Vous cherchez quelque chose?

J'ai répondu:

– Un livre.

– Vous êtes au bon endroit. Si je peux vous aider …

– Je veux bien, je lui ai dit.

– Quel titre voulez-vous? Quel auteur?

Pff! Qu'est-ce que j'en savais, moi?

Elle avait l'air d'attendre ma réponse.

12 **la benne:** Container; Ladefläche; hier (fig.): eine Menge, Unzahl. • 14 **trop de choix tue le choix** (loc.): etwa: zu viel Auswahl macht es einem noch schwerer.

J'ai pensé, Si ça continue, elle va se rendre compte qu'un type comme moi a rien à foutre ici, elle va me flanquer à la porte. Alors j'ai ajouté:

– En fait, je ne veux pas *un* livre … Je veux un livre
5 à lire, c'est tout.

Elle a fait:

– Oui, très bien, je comprends …

Et avec un sourire genre force de vente:

– Documentaire, essai, fiction?

10 – Non, non, juste un livre qui raconte une histoire, voyez?

– De la fiction, alors. De quel genre?

– Court, j'ai dit.

– Des nouvelles?

15 – Non, pas sur les infos. Des histoires inventées.

– …? Un roman?

– Oui voilà, un roman. Un roman, ça ira. Mais très court.

Elle s'est levée, elle est allée aux étagères, en répé-
20 tant pour elle:

– Un roman très court … Un roman très court …

– Et facile, si vous avez.

Elle s'est arrêtée en faisant ah? … et elle a ajouté:

– C'est pour un enfant de quel âge?

25 Elle commençait à me casser les burnes, celle-là.

– C'est pour ma grand-mère, j'ai dit.

Là-dessus, un type est arrivé avec deux morpions énervés, et il lui a fait un signe.

La dame s'est barrée en me disant, Je reviens tout

3 **flanquer qn à la porte** (fam.): jdn. vor die Tür setzen. • 14 **la nouvelle:** hier: Novelle, Kurzgeschichte. • 25 **casser les burnes** (f.) **à qn** (fam.): jdm. auf die Nerven gehen.

de suite, profitez-en pour regarder, les romans adultes sont là.

Et elle m'a montré six rangées de trois mètres sur un quatre-vingt de hauteur, en médium placage bois de hêtre vernis, montants avant profilés, échelles perforées sur les chants intérieurs. Je me suis baladé au milieu un moment. Je prenais un bouquin ici, un autre là.

Mais il y en avait trop et tous pareils, ou presque, ça m'a découragé. Et puis j'ai vu un môme, juste en face de moi, dans le coin pour enfants. Il regardait les titres en fronçant les sourcils, il prenait un bouquin, il vérifiait ce qui est écrit au dos et il le reposait. Plus loin, il en prenait un autre, et rebelote.

Je me suis dit, Tiens, c'est pas con, je vais lire ce qu'ils racontent sur l'histoire, derrière, ça va m'aider un peu.

Ça m'a aidé à rien.

Ce qu'ils mettent au dos des romans, je vais vous dire, c'est à se demander si c'est vraiment écrit pour vous donner l'envie. En tout cas, c'est sûr, c'est pas fait pour les gens comme moi. Que des mots à coucher dehors – *inéluctable, quête fertile, admirable concision, roman polyphonique* … – et pas un seul bouquin où je trouve écrit simplement: c'est une histoire qui parle

4 **le placage:** Verkleidung; Furnier. • 5 **verni, e:** lackiert (*le vernis:* Lack). • **le montant:** Pfosten; Holm. • 5f. **perforer qc:** Löcher in etwas bohren, etwas perforieren, durchlöchern. • 6 **le chant:** hier: (Schmal-) Seite. • 14 **et rebelote** (fam.): und alles nochmal von vorn. • 15 **tiens!:** ach!, schau an! • 22f. **à coucher dehors** (fam.): unaussprechlich. • 23 **inéluctable:** unausweichlich, unabwendbar. • **la quête:** Kollekte; hier (litt.): Suche. • **fertile:** fruchtbar; hier (fig.): erfolgreich. • **la concision:** Knappheit, Kürze (*concis, e:* prägnant, kurz und bündig).

d'aventures ou d'amour – ou d'Indiens. Et point barre – c'est tout.

Je me disais, Si tu comprends même pas le résumé, qu'est-ce que tu veux pouvoir piger au reste, pauvre 5 burne?

Entre les livres et moi, c'était toujours aussi mal barré comme histoire d'amour.

C'est là que la femme est revenue en demandant:

– Vous avez trouvé ce que vous vouliez, finale- 10 ment?

Je ne savais pas comment lui dire non, alors je lui ai montré un petit bouquin que je venais de prendre à l'improviste et j'ai fait, Oui, c'est bon, je voudrais celui-là.

15 Elle a regardé le bouquin avec un air étonné. Je me suis senti mal. J'ai pensé, Tant pis, autant avoir l'air d'un con jusqu'au bout, et j'ai dit:

– Vous croyez que ça pourra faire, pour ma grand-mère?

20 Elle a souri:

– Oh! Oui, oui, bien sûr! Je suis surprise parce que vous m'aviez dit que vous ne vouliez pas lire de nouvelles, mais ... non, c'est un très bon choix. C'est très beau, surtout cette première histoire, qui a donné son 25 nom au recueil, vous verrez. Poétique, émouvant ... Je suis sûre que ça va lui plaire ...

Ensuite elle a rempli la fiche à mon nom, elle m'a dit:

4f. **la pauvre burne** (vulg.): Armleuchter, Trottel. • 6f. **qc est mal barré, e** (fam.): für etwas sieht es schlecht aus. • 12f. **à l'improviste:** spontan, unvorhergesehen; unangemeldet. • 25 **le recueil:** Sammlung, Sammelband.

– Vous pouvez garder les livres quinze jours, et en emprunter trois pour la même période.

J'ai dit oui et merci et au revoir.

En sortant, j'ai regardé le titre: *L'Enfant de la haute* 5 *mer*.

Je me demandais bien ce que ça allait dire.

Je ne l'ai pas ouvert de suite. J'ai attendu deux ou trois jours. Des fois, je le prenais, pour voir. Je soulevais un peu la couverture, l'air de rien, comme un vicieux qui mate sous les jupes, mais je refermais tout
5 de suite et je me barrais chez Francine, ou au jardin.

Et puis j'ai entendu la voix de mon for qui disait: *Germain, bordel, qu'est-ce que tu branles?! T'as peur d'un livre, ou quoi? Tu y as pensé, à Margueritte?*

Alors je me suis dit, J'essaie, et si je n'arrive pas à
10 comprendre *tout* ce qui est marqué – enfin presque – dans la première page, je dépose le bilan.

Et j'ai commencé ma lecture.

Comment s'était formée cette rue flottante?

Jusque-là, ça allait. Ça ne voulait rien dire mais en-
15 fin, ça allait.

Quels marins, avec l'aide de quels architectes, l'avaient construite dans le haut Atlantique à la surface de la mer, au-dessus d'un gouffre de six mille mètres? Six mille mètres? J'enlève trois zéros, ça donne ...
20 soixante, non, six, ça donne six kilomètres. Un gouffre de six kilomètres? Putain, ça fait profond, quand même! six kilomètres.

La vache.

Cette longue rue ...ces toits d'ardoise ... Ça allait
25 toujours.

1 **de suite** (fam.): *tout de suite.* • 3 **l'air** (m.) **de rien:** unauffällig. • 3f. **le vicieux / la vicieuse:** Perverse(r). • 7 **branler** (fam.): tun. • 11 **déposer le bilan:** Konkurs anmelden; hier (fig.): aufgeben. • 18 **le gouffre:** Abgrund. • 23 **la vache:** Donnerwetter! • 24 **l'ardoise** (f.): Schiefer(gestein).

… ces humbles boutiques immuables?

Ah merde, j'ai pensé, ça commence! Im-mua-ble. Bon …

A, B, C, D … G, H, I.

5 *Ic, Id, Il,* Im, ça y est.

Im-a, Im-b, Im-i, Im-m …

Imma, Imme, Immi, Immo, Immu … là.

Immuable – *qui reste identique à soi-même, qui ne peut éprouver aucun changement.* Des boutiques qui

10 ne changent pas, donc. Comme chez Moredon, le boulanger de la rue Paille, qui est tellement radin qu'il n'a pas dû repeindre sa façade depuis plus de vingt ans, et d'ailleurs il devrait parce que franchement, maintenant, ça fait crade.

15 J'ai continué jusqu'au bout de la première page qui se terminait par *Comment cela tenait-il debout sans même être ballotté par les vagues?*

Voilà.

Je l'avais finie sans trop d'encombres étant donné

20 que, sans vouloir faire mon prétentieux, je dois dire qu'à part un mot, j'avais su lire tous les autres.

Je ne voyais pas trop où s'en allait l'histoire, mais j'ai tourné la page.

Et de l'autre côté, il y avait cette petite fille de

25 douze ans qui marchait seule dans une rue liquide – que j'avais un peu de mal à imaginer au début, mais

1 **humble:** bescheiden. • **immuable:** unveränderlich; ständig; unerschütterlich (*muer*, litt.: sich wandeln). • 3 **bon:** also. • 9 **éprouver:** verspüren; mitnehmen, schwer treffen. • 11 **radin, e:** geizig, knauserig (*le radin / la radine:* Geizkragen). • 14 **faire crade** (fam.): schmutzig aussehen (*crade,* fam.: schmuddelig). • 17 **ballotter:** durchschütteln, hin- und herschaukeln. • 19 **sans encombres** (f.): problemlos, ohne Schwierigkeiten.

après non, finalement, c'est comme à Venise, je pense.

Une gamine qui s'endormait quand les bateaux approchaient, sur l'océan. Et quand elle s'endormait, le village disparaissait sous les flots – *Voir: lame, onde, vague* – avec elle.

Et personne ne savait que cette petite fille existait. Personne.

Elle avait toujours à manger dans les placards, et du pain frais sur le comptoir de la boulangerie. Quand elle commençait un pot de confiture, *il n'en demeurait pas moins inentamé.* Elle aurait dû déposer son brevet, ça aurait bien intéressé les collectivités locales, son truc, rapport aux cantines scolaires et aux repas des vieux.

Elle regardait de vieux albums photos. Elle faisait semblant d'aller en classe. Matin et soir, elle ouvrait et fermait des fenêtres. *La nuit, elle s'éclairait de bougies, ou cousait à la lumière de la lampe.* Et moi – c'est con, je sais –, ça me faisait quelque chose de la savoir là, cette mouflette, paumée au beau milieu de rien. J'avais jamais rencontré de ma vie – même pas dans un livre – quelqu'un qui soit tout seul à ce point-là, aussi complètement largué.

Je suis arrivé à la fin assez vite, au bout de trois jours seulement – parce qu'en fait ce n'est pas une histoire tout court, ce bouquin de nouvelles. C'est plusieurs petites histoires qui se suivent à la file.

5 **les flots** (m.): Flut, Wellen (*flottant, e:* schwimmend; flatternd; schwankend). • **la lame; une onde** (litt.): Welle, Woge. • 11 **demeurer:** bleiben. • 12 **entamer qc:** etwas anbrechen, anfangen. • **déposer un brevet:** Patent anmelden. • 13 **la collectivité locale:** Gebietskörperschaft. • 23 **larguer qn** (fam.): jdn. im Stich lassen. • 27 **se suivre à la file** (fam.): aufeinanderfolgen.

J'ai relu une seconde fois le dernier morceau, qui commence par *Marins qui rêvez en haute mer …* pour être sûr d'avoir compris. Ensuite j'ai recommencé du début. Et encore.

5 Je la voyais faire semblant d'écouter la maîtresse à l'école. Et puis faire ses exercices, sagement. Je me disais, Elle doit tirer un petit bout de langue en écrivant, elle a dû se foutre de l'encre sur les doigts, elle va faire des ratures – j'en faisais plein moi, à son âge.

10 Mais non, elle était plus soignée que moi, elle avait des cahiers bien tenus.

Elle se regardait dans la glace et il lui tardait de grandir.

Et ça je le comprenais drôlement, parce que, quand 15 on est môme, la seule chose qu'on attend, c'est que ça commence. La vie. C'est pour meubler le temps qu'on fait des conneries.

On passe des années à rêver d'être grands, tout ça pour regretter quand on était petits.

20 Enfin ça c'est des apartés – qui sont des réflexions qu'on se fait à part soi.

Quand le *petit cargo tout fumant* est passé au milieu du village, je me suis dit qu'on allait la sauver, cette gamine. Et puis non. Et quand une vague vient 25 la chercher, *une vague énorme*, avec *deux yeux*

7 **tirer la langue:** die Zunge rausstrecken. • 9 **faire des ratures:** klecksen; einen Fehler machen und durchstreichen (*la rature:* Streichung, durchgestrichene Stelle). • 10 **être soigné, e:** gepflegt sein; hier: ordentlich, sauber arbeiten. • 11 **tenir qc:** hier (fig.): etwas führen. • 12 **il tarde à qn de faire qc:** jd. kann es kaum erwarten etwas zu tun. • 14 **drôlement** (fam.): ganz schön. • 16 **meubler:** einrichten; hier (fig.): ausfüllen, überbrücken. • 20 **un aparté:** vertrauliches Gespräch; hier: persönlicher Gedanke. • 22 **le cargo:** Frachtschiff, Frachter.

d'écume parfaitement imités pour essayer de l'aider à mourir, et qu'elle n'y arrive pas, ça fait flipper, je peux vous dire – enfin moi.

Mais le bizarre, dans l'histoire, c'est que plus je li-
5 sais et plus elle vieillissait dans ma tête, cette gosse. Plus elle ressemblait à Margueritte, en fait. Ça devenait une vieille petite fille toute menue comme un moineau, avec les yeux de Margueritte et ses cheveux gris et violets.

10 Et plus elle lui ressemblait, plus ça me serrait fort le gosier de relire la fin, quand ça parle d'un être *qui ne peut pas vivre ni mourir, ni aimer, et souffre pourtant comme s'il vivait, aimait et se trouvait toujours sur le point de mourir, un être infiniment déshérité dans les*
15 *solitudes aquatiques.*

J'aurais pas su dire pourquoi, mais j'avais l'impression qu'à l'intérieur de Margueritte il y avait cette petite fille un peu tristouille, qui attendait la vague, et ça ne venait pas.

20 On a de ces idées, des fois.

1 **une écume:** Gischt, Schaum. • 13 f. **être sur le point de faire qc:** kurz davor sein etwas zu tun. • 14 **déshériter:** enterben; benachteiligen; hier: im Stich lassen.

Avant, je ne regardais pas Margueritte en détail. Je la voyais venir de loin dans l'allée, à petits pas. Ou alors elle s'était déjà assise sur le banc, et c'est elle qui m'attendait. On se disait bonjour, on comptait les pigeons, on faisait nos lectures, sans se dévisager comme des malpolis. Aujourd'hui, je l'observe.

Observer, c'est regarder utile, en se disant qu'on veut se souvenir. Et du coup, on voit mieux. Forcément. On voit même ce qu'on aurait préféré pas savoir, et c'est tant pis pour soi.

Par exemple, quand elle écrit – quand elle lit, aussi –, elle tourne un peu la tête, maintenant. Au début, je trouvais ça marrant, cette nouvelle habitude. Je me disais, Tiens! elle fait comme les oiseaux, à tout regarder de côté, avec son petit air penché. Seulement ce n'est pas un genre qu'elle se donne. C'est pas ça. Elle tourne la tête pour essayer de lire, parce qu'autrement, elle distingue déjà plus bien ce qui est en face d'elle. Elle voit la vie du coin de l'œil, Margueritte.

Et quand elle marche, on sent bien qu'elle hésite. Enfin, si on l'observe, on le sent bien.

Parce que sinon, quand on est qu'un gros égoïste comme j'étais avant, on ne remarque rien.

À présent, quand on se sépare, je la raccompagne jusqu'à la grande grille, boulevard de la Libération. J'aurais vergogne à la laisser s'en aller tout seule.

7 **utile:** hier: sinnvoll. • 25 **la grille:** Gitter, Zaun. • 26 **la vergogne:** Skrupel, schlechtes Gewissen.

Je lui dis, Je viens avec vous, Margueritte, je vous laisserai au portail.

Elle me répond, Oh non, Germain, vous êtes si gentil, mais non, je suis gênée, cela va vous contraindre à faire un grand détour!

Je lui réponds que ça, ce n'est pas un problème. Et puis tu parles d'un détour, ça fait bien dans les deux cents mètres! Mais les mètres de vieux, ça doit être plus long.

– Il n'empêche, je vous fais perdre votre temps, je le vois bien! …

Le temps, j'en ai à moudre! Qu'est-ce que j'y gagnerai, si j'arrête d'en perdre?

Je marche à côté d'elle. On pourrait presque dire *au-dessus*, vu comme elle est petite, parce que je la dépasse de cinquante bons centimètres.

Des fois ça me démange de lui prendre le bras, quand je vois qu'elle sort de ses traces, au lieu de tirer droit au milieu de l'allée. Mais je la laisse faire, tant qu'elle tient sur ses pattes. Je veux pas l'humilier, non plus. Simplement, quand elle s'en va un peu trop de biais, je change de côté – ni vu ni connu, je t'embrouille – et je la rabats en douceur.

Et quand on sort du parc, je n'ose pas la suivre jusqu'à sa maison de retraite. Je reste là, contre la

2 **le portail:** (Garten-)Tor. • 12 **avoir qc à moudre** (fam.): etwas im Überfluss haben (*moudre:* mahlen). • 16 **dépasser:** hier: überragen. • 17 **démanger qn:** jdn. jucken, kratzen; hier (fam.): jdn. reizen. • 18 **sortir de ses traces** (f.; fam.): aus der Spur fallen. • 18 **tirer droit** (fam.): gerade(aus) laufen. • 21 f. **de biais:** schräg. • 22 **ni vu ni connu** (loc.): ohne dass es jd. merkt, unbemerkt. • 22 f. **embrouiller qn:** jdn. verwirren (*embrouillé, e:* konfus, wirr). • 23 **rabattre:** zurückklappen; hier (fam.): zurückdrängen. • **en douceur** (f.): sanft.

grille, à la regarder s'éloigner, toute brinquebalante comme un vieux caneton.

Je surveille, au cas où.

Je pense à elle, au milieu de tout ce bordel de la circulation, les passages cloutés, les gens qui la bousculent, et merde. J'aurais envie de lui partir derrière, d'arrêter les voitures, de faire peur aux gens, et qu'elle ait le trottoir pour elle.

Et je me dis que tenir à une grand-mère, c'est pas plus reposant que tomber amoureux.

Au contraire.

1 **brinquebaler** (fam.): hin- und herschwanken, -wanken. • 2 **le caneton:** Entenküken. • 5 **le passage clouté:** Fußgängerübergang, Zebrastreifen.

J'ai mis le temps qu'il fallait mettre, pour lire comme il faut. Mais je suis têtu, dans le genre.

Et un après-midi, quand Margueritte s'est assise avec moi sur le banc, je lui ai dit:

5 – J'ai une surprise pour vous!

Elle a fait, Ah oui?

Et elle a ajouté, J'adore les surprises.

– Vous alors, vous êtes bien une femme! j'ai dit.

Elle s'est marrée, elle a dit, Oh, disons seulement 10 un vestige …

Elle m'a expliqué. J'ai rigolé aussi.

– Eh bien, alors? Cette surprise?

– Fermez les yeux, j'ai dit.

Elle croyait peut-être que j'allais lui donner un ca-15 deau, ou des chocolats, je sais pas.

Moi, je lui ai juste dit:

– Vous allez voir, c'est poétique et émouvant.

Et puis j'ai commencé et – vous ne me croirez sûrement pas – j'avais une putain de trouille:

20 – *Comment s'était formée cette rue flottante? Quels marins, avec l'aide de quels architectes, l'avaient construite dans le haut Atlantique à la surface de la mer, au-dessus d'un gouffre de six mille mètres?*

– Ça fait six kilomètres, j'ai dit.

25 Elle a souri, sans ouvrir les yeux.

Alors j'ai continué.

Je m'étais entraîné, il faut dire. D'abord tout seul,

2 **dans le genre:** was das angeht, diesbezüglich. • 10 **le vestige:** Überrest, Relikt.

dans ma tête, et puis à haute voix. Et ensuite devant Annette, qui me disait, Attend, oui, là c'est bien, un peu moins vite, un peu plus fort, à croire qu'on faisait l'amour.

– *L'enfant se croyait la seule petite fille au monde. Savait-elle seulement qu'elle était une petite fille? …*

Margueritte écoutait sagement, les mains jointes sur les genoux. Et ça me faisait drôle, de lire à haute voix, au milieu du jardin public, pour quatorze pigeons et une vieille dame.

En même temps que je suivais l'histoire, je pensais – sur un autre canal –, Si ce connard de monsieur Bayle pouvait me voir en ce moment! Lui, et les autres. Tous les autres.

Je crois que j'étais fier de moi.

Je me suis arrêté, page 13, après *L'enfant de la haute mer ignorait ce qu'étaient ces pays lointains et ce Charles et ce Steenvoorde* – que je lis un peu à l'arraché, *Ste-en-vo-orde*, mais je parle pas étranger, et c'est pas sous-titré pour la prononciation.

– Ça vous dirait qu'on lise la suite, une autre fois? j'ai dit. Parce que là, je dois aller le rendre à la bibliothèque. Mais j'irai le réemprunter, si vous voulez. Je m'en fous, c'est gratuit.

Margueritte a ouvert les yeux, elle m'a dit:

– Germain, c'était vraiment une jolie surprise. Je ne sais pas du tout comment vous remercier.

Et puis, juste après, elle a fait:

– Quoique … j'ai peut-être une idée! Est-ce que

7 **les mains jointes:** mit gefalteten Händen (*joindre:* verbinden). • 18 f. **à l'arraché** (f.; fam.): schludrig. • 20 **sous-titrer:** untertiteln.

vous accepteriez de me raccompagner jusqu'à mon appartement, un des ces jours?

– Bah, bien sûr! Tout à l'heure, même, si vous voulez!

5 – Cela ne vous dérange pas?

– Pas de problème!

Ce jour-là, elle ne m'a pas fait la lecture, puisque je m'en étais chargé. Elle m'a seulement demandé de lui lire la suite, un autre jour, si je voulais bien.

10 J'ai dit, Bah oui, si ça vous fait plaisir.

Ça m'aurait emmerdé qu'elle le demande pas, vu le temps que j'avais passé pour apprendre à la lire tout haut, cette putain d'histoire poétique. Et émouvante, aussi.

15 Après on a parlé de tout en général, et de rien en particulier.

À un moment, elle m'a dit, comme ça, d'un air inopiné:

– Vous savez, je crains d'être obligée de m'acheter

20 une canne, d'ici peu. Je ne vois pas toujours très bien les obstacles, à présent.

– Ça vous fait peine?

– Eh bien, pour être franche, disons que j'ai un peu de mal à me faire à cette perspective …

25 – Vous allez l'acheter en métal, ou en bois?

– Oh, en bois, je préfère! En métal, cela fait prothèse. J'y viendrai lorsque je serai vieille … J'ai encore le temps, n'est-ce pas?

Je me suis marré. Elle aussi.

17 f. **inopiné, e:** unerwartet, unvermutet. • 21 **un obstacle:** Hindernis. • 22 **faire peine** (fam.): *faire de la peine.*

J'ai fait:

– Je vous dis ça parce qu'en parlant de cannes, je sais où en trouver des belles, en bois de châtaignier. C'est un type que je connais, il fait ça de père en fils. Ça ne vous dirait pas, que je vous y emmène? On pourrait y aller un dimanche? C'est à moins d'une heure d'ici, que des petites routes et je roule pas vite.

Elle a dit, d'un air désolé.

– Vous allez me trouver ridicule, Germain, mais je suis malade en voiture, j'ai d'affreuses nausées quand je ne conduis pas … Lorsque je prenais le volant, je n'avais pas ce souci mais, hélas, pour moi il est hors de question de tenir le volant, désormais. Je serais un danger public.

– Je peux y aller à votre place, en me baladant avec ma copine. Je vous ramènerai un catalogue.

– Eh bien, si cela ne vous ennuie pas, après tout … Je dois reconnaître que je serais assez fière de pouvoir me promener au parc avec une jolie canne en bois de châtaignier …

– Banco, on fait comme ça!

Elle m'a demandé si j'étais toujours d'accord pour la raccompagner.

J'ai dit que oui, bien sûr. Je suis pas une girouette.

Elle vit dans un appartement grand comme un timbre-poste. Chambre-séjour-balcon. Mais c'est bien orien-

3 **le châtaignier:** Kastanie(nbaum). • 8 **désolé, e:** tief betrübt, untröstlich. • 11 **prendre le volant:** am Steuer sitzen, selber fahren. • 17 **après tout …:** warum eigentlich nicht? • 24 **la girouette:** Windfahne, Wetterfahne, Wetterhahn; hier (fam.): wetterwendische, unbeständige Person. • 26 **le séjour:** *la salle de séjour:* Wohnzimmer.

té, pas bruyant, ni humide. Ça va. Ça manque de jardin, mais ça va.

Elle m'a montré des beaux objets qu'elle a ramenés de partout. Et puis elle m'a dit:

5 – Germain, c'est à votre tour de fermer les yeux … Vous ne tricherez pas, c'est promis?

– Juré!

Je l'ai entendue ouvrir un tiroir, et chercher quelque chose. Elle est revenue vers moi, elle m'a dit de tendre 10 la main. Elle a posé un truc un peu lourd, un peu froid.

– Vous pouvez ouvrir les yeux!

J'ai ouvert, j'ai dit, Oh putain! et tout de suite après, Oh pardon!

– Il est vachement beau, je peux pas accepter …

15 – Je vous en prie, pour me faire plaisir.

C'était un Laguiole, mais de compétition, un vrai bijou! Avec une lame damassée, en acier forgé, le manche en pointe de corne, les mitres et les platines en laiton, et puis un bel étui en cuir pour le porter sur 20 soi.

Le genre de couteau qui vaut la peau des fesses, et même chez les Jivaro.

– Faut que je vous donne une pièce, en échange! j'ai dit, en fouillant dans ma poche.

25 – Une pièce? Pourquoi?

– Parce que sinon on se disputerait. Vous ne le saviez pas, ça?

1 **bruyant, e:** laut. • 16 **le Laguiole:** Taschenmesser (Produkt- und Markenname). • 17 **la lame damassée:** Damastklinge. • **un acier forgé:** Schmiedestahl. • 18 **la pointe de corne** (f.): Hornspitze. • **le mitre:** Backe. • 19 **le laiton:** Messing. • 21 **valoir la peau des fesses** (loc.): eigtl.: *coûter la peau des fesses:* ein Heidengeld kosten (*les fesses*, f.; pl.!: Gesäß, Hinterteil). • 23 **en échange** (m.): als Gegenleistung.

– Mais non! Expliquez-moi?

– Quand on offre un couteau à quelqu'un, il faut toujours qu'il donne un peu de monnaie, en échange. Bon, j'ai que vingt centimes, là, mais c'est pas la valeur qui compte. Mettez-la de côté, ne la dépensez pas!

Margueritte a tendu la main, très sérieuse.

Elle a dit, Oh, oh! Il va donc falloir que je trouve un endroit connu de moi seule, pour cacher ce précieux trésor …

Je l'aime bien aussi parce qu'elle est un peu folle.

J'ai fait ce que j'ai dit. Je suis allé les voir, les cannes en châtaignier. Mais tout seul. C'était pas pour me débarrasser d'Annette, mais j'avais une idée dans la tête et dans ces moments-là, faut pas me bousculer. Je
5 connais Baralin, celui qui les fabrique.

Je lui ai dit, Clément, tu m'en donnes une belle, juste poncée, mais surtout pas vernie.

Il m'a demandé, C'est pour toi?

– Non, j'ai fait, c'est pour ma grand-mère.

10 – Quelle taille elle fait?

Je lui ai dit, Ben, elle m'arrive à peu près là …

– Bon, on va prendre la taille enfant, alors. Elle n'a pas l'air bien grande!

Il m'a fait choisir dans le tas. J'en ai pris deux, des
15 fois que je me rate.

Au début, je me demandais ce que j'allais sculpter, et si j'allais le faire sur l'anse seulement, ou tout le long du fût. J'avais jamais sculpté en pensant à quelqu'un, sauf quand j'étais minot, un petit mouton, pour Hélène
20 Morin dont j'étais amoureux, et qui s'est bien foutue de moi en le montrant à toute l'école, la salope. Je lui ai jeté des sorts pendant au moins un mois.

Plus tard, elle a fini par épouser ce gros con de Boiraut. Tout se paye.

4 **bousculer qn:** jdn. anrempeln, anstoßen; hier (fam.): jdn. aus dem Konzept bringen. • 7 **poncer:** (ab)schleifen. • 15 **se rater** (fam.): sich täuschen, irren, falsch liegen. • 17 **une anse:** Henkel, Griff. • 18 **le fût:** Schaft. • 22 **jeter des sorts à qn:** jdn. verhexen, mit einem Fluch belegen (*le sort:* Schicksal, Los). • 24 **Tout se paye** (loc.): Alles rächt sich einmal.

Mais là, c'était bien différent.

Je me suis décidé pour une tête de pigeon, avec le cou bien étiré comme ils font quand ils guettent les miettes, ça prenait tout à fait la courbure de l'anse. Et pour le bec, je l'ai gravé plutôt comme un relief, voyez, pour que ça reste doux dans la paume, et bien rond sur le bout. Pour les yeux, j'ai brûlé deux trous au fer à souder, ça lui donnait un air d'être vivant à un point pas croyable. Ensuite, j'ai passé au papier de verre 2/0 à grain fin, tout lustré à la peau de chamois, et enfin j'ai verni. Ça m'a pris un moment mais, putain, c'était beau!

Quand j'ai eu terminé, je l'ai posée en face de mon lit.

Annette m'a dit que c'était magnifique, et puis elle est restée avec moi pour dormir.

Je me suis relevé deux fois dans la nuit soi-disant pour pisser, mais c'était qu'un prétexte pour regarder la canne. J'ai pas encore la prostate.

3 **étiré, e:** gestreckt (*s'étirer:* sich strecken). • **guetter qc:** einer Sache auflauern, auf etwas warten. • 4 **ça prenait tout à fait la courbure de l'anse** (f.): das passte sich exakt der Krümmung des Griffes an. • 8 **le fer à souder:** Lötkolben. • 9 **passer qc à qc:** mit einer Sache über etwas gehen. • 9 f. **le papier de verre** (m.): Schleifpapier. • 10 **le grain:** Körnung. • **lustrer:** polieren, zum Glänzen bringen. • **la peau de chamois** (m.): Ledertuch, Sämischleder, Chamoisleder. • 19 **avoir la prostate** (fam.): Prostatabeschwerden haben.

Il me tardait de donner mon cadeau.
Quand j'ai vu arriver Margueritte, tout au bout de l'allée, ça m'a tapé le cœur.
Je me suis levé, je lui ai tendu la canne, je lui ai dit,
5 C'est pour vous.
J'aurais rien pu lui dire d'autre.
Elle m'a regardé d'en bas, la tête un peu tournée, à peine. Elle a pris la canne, elle a passé et repassé les mains sur l'anse, doucement. On aurait dit qu'elle ca-
10 ressait un pigeon pour de vrai.
Je lui ai demandé:
– Elle vous plaît?
– Ah, je dois avouer qu'elle n'est pas trop vilaine …
15 Pas trop vilaine? Putain, ça m'a déçu comme un coup de poignard.
– C'est une litote, évidemment! elle a fait.
– Non, c'est un pigeon! … j'ai dit.
Elle a souri.
20 – Germain, une litote, c'est une façon de parler … On dit noir pour mieux dire blanc. Par exemple: elle n'est pas trop vilaine, en fait, cela veut dire que je la trouve absolument superbe. C'est un vrai objet d'art. Et je suis très émue.

3 **taper le cœur à qn** (fam.): jdm. weh tun, einen Stich versetzen. • 10 **pour de vrai** (fam.): im Ernst. • 13f. **vilain, e:** hässlich. • 15f. **un coup de poignard** (m.): Dolchstoß. • 17 **la litote:** Litotes, verneinende Umschreibung zur stärkeren Hervorhebung. • 24 **être ému, e:** gerührt sein (*une émotion:* Rührung, Ergriffenheit; Aufregung).

Et puis elle a ajouté, d'un air drôlement secoué, tout d'un coup.

– Car c'est vous, n'est-ce pas, Germain … c'est vous qui l'avez sculptée, cette canne?

5 – Avec votre couteau, j'ai dit.

C'était pas vrai: je n'arrive à sculpter qu'avec un Opinel et mes ciseaux à bois. Mais de faire un petit mensonge là-dessus, je voyais pas en quoi ça pourrait emmerder le Seigneur, vu que dans Son neuvième
10 commandement, Il a seulement dit *Tu ne porteras point de faux témoignage contre ton prochain*. Il n'a pas interdit de mentir, à part ça. Je vais pas me mêler d'être plus royaliste que le roi.

En tout cas, Margueritte a été touchée quand j'ai
15 parlé de son couteau, je l'ai bien vu: elle a fait un petit oooooh! mouillé, elle m'a serré la main. De tout l'après-midi, je l'ai pas vu lâcher sa canne. Comme quoi, j'avais eu raison d'en rajouter un peu.

Au bout d'un moment, elle m'a dit:

20 – Germain, savez-vous qu'il existe des partitions à quatre mains, pour piano?

– Des quoi? j'ai dit.

– Certains morceaux de musique peuvent se jouer à deux personnes, ensemble, sur le même instrument.
25 Enfin sur des pianos, uniquement …

1 **secoué, e** (fam.): etwa: baff, mitgenommen (*secouer:* schütteln). • 7 **le ciseau à bois** (m.): Stemmeisen, Schnitzeisen. • 10f. **Tu ne porteras point … contre ton prochain:** Du sollst nicht falsch Zeugnis reden wider deinen Nächsten (9. Gebot). • 13 **être plus royaliste que le roi** (loc.): päpstlicher als der Papst sein. • 14 **être touché, e:** gerührt sein. • 16 **mouillé, e** (fam.): mit Tränen in den Augen. • 20 **la partition:** Partitur.

– Ben oui, sur un pipeau ce serait difficile.
Elle m'a fait son rire en grelot, elle a dit:
– Alors j'avais pensé, enfin, si vous étiez d'accord, bien entendu … je me disais que nous pourrions peut-
5 être lire à deux, tant qu'il est temps?
– Qu'on lise à quat'z-yeux, c'est ça?
Et puis j'ai dit, Bien sûr.
Ça va me plaire.

1 **le pipeau:** Hirtenflöte; Lockpfeife. • 2 **le rire en grelot:** glockenhelles Lachen (*le grelot:* Schelle, kleines Glöckchen). • 6 **à quat'z-yeux** (fam.): *à quatre yeux:* unter vier Augen.

Le lendemain, on était chez Francine, à lui garder la boutique pendant qu'elle était en courses. J'ai sorti mon couteau pour me faire les ongles, l'air de rien.

Marco a dit:

– Oh l'enfoiré! La belle bête!

– Montre-moi voir? a fait Julien.

Landremont l'a examiné sous toutes les coutures, à l'ouvrir et à le fermer, et à passer le gras du pouce sur le fil de la lame, comme s'il connaissait quelque chose aux couteaux.

– C'est de la belle ouvrage! il a dit. Où tu as dégoté ça?

– C'est un cadeau.

Ils ont demandé, De qui ça?

J'ai répondu, sans préciser:

– De ma grand-mère.

– *Ta* grand-mère? a dit Landremont. Tu parles de celle qu'on connaît? La mère de ta mère?

– Ma grand-mère, j'ai répété.

– Cette vieille saloperie? Elle te fait des cadeaux, maintenant? Je croyais qu'elle vous détestait, ta mère et toi …

– C'est vrai qu'elles sont fondues, les meufs, dans ta

1 **garder qc:** hier: etwas beaufsichtigen. • 3 **se faire les ongles** (m.; fam.): sich die Fingernägel lackieren; hier: sich die Nägel reinigen. • 8 **le gras du pouce:** etwa: der fleischige Teil des Daumens. • 9 **le fil:** hier: Grat. • 11 **de la belle ouvrage** (fam.): eine gelungene Arbeit. • 20 **la saloperie** (fam.): etwa: Schreckschraube. • 23 **être fondu, e** (fam.): erschöpft sein; hier: durchgeknallt sein (*fondre:* schmelzen; tauen). • **la meuf** (verlan): *femme, fille.*

famille! a dit Marco. Encore heureux que t'as pas eu de sœur!

J'allais lui demander de me lâcher la grappe avec ça quand Jojo est venu s'asseoir avec nous pour prendre
5 l'apéro.

Il a fait:

– Putain, tu as un sacré beau couteau, toi!

Et sans que j'aie le temps de répondre, il a ajouté:

10 – Les mecs, on va bientôt se dire adieu. Je vais déménager, j'ai trouvé un travail sur Bordeaux.

On a fait, Oh?

Julien lui a fait remarquer que c'est pas la porte à côté.

15 – Par contre, c'est une belle ville! a ajouté Landremont, qui ne sort jamais de son garage, mais qui lit beaucoup de revues.

Marco a demandé:

– Et Francine, elle est au courant?

20 – Non, je comptais me barrer cette nuit sans rien dire ...

– C'est pas très sympa de ta part, a dit Marco.

– Et c'est pas vrai, surtout! Bien sûr qu'elle est au courant, Francine! Qu'est-ce que tu crois, bougre
25 d'âne? Que je vais m'en aller comme un malpropre?

1 **encore heureux que ...** (eigtl.: + subj.): ein Glück, gut dass ... • 3 **lâcher la grappe à qn** (fam.): jdn. in Ruhe lassen (*la grappe:* Traube). • 13 **faire remarquer à qn:** jdm. zu bedenken geben. • 13 f. **c'est pas la porte à côté** (fam.): das ist eine ganze Ecke, ganz schön weit. • 24 f. **bougre d'âne!** (fam.): du Idiot!, du Depp! (*un âne:* Esel). • 25 **s'en aller comme un malpropre** (fam.): sich so einfach verpissen (*malpropre:* schmutzig; gemein; *le malpropre:* gemeiner Kerl, Lump).

Je lui ai donné mon préavis, et je resterai un peu plus, s'il le faut, pour former le nouveau.

Marco a haussé les épaules.

– Franchement, je sais pas trop si c'est le bon moment, tu vois ... Elle va finir par nous péter un câble, Francine. Déjà que Youssef l'a plaquée, si en plus tu te casses, toi aussi ...

Jojo a rigolé, il a dit:

– Te fais pas trop de bile, va! Elle va mieux depuis hier soir, Francine ...

On ne lui a pas demandé pourquoi, vu qu'elle est arrivée juste à ce moment-là, avec un air content et Youss' collé au train, des sacs de commissions plein les bras.

– Ah ben d'accord! ... Ça s'est arrangé, les amours, on dirait! ... a fait Marco.

Youssef nous a fait un clin d'œil, il a dit, Je décharge en vitesse, et j'arrive.

– Ta vie privée ne nous regarde pas! a répondu Julien en rigolant.

Après on a blagué en attendant Youssef, et quand il s'est pointé Landremont lui a dit:

– Francine te déteste un peu moins, on dirait.

Youssef a dit, Comment, elle me déteste moins, elle me déteste pas du tout, pourquoi elle me détesterait puisque je suis revenu, elle t'a dit quelque chose, ou quoi?

1 **donner son préavis:** kündigen (*le préavis:* Kündigungsschreiben). • 2 **former qn:** jdn. ausbilden; hier: einarbeiten. • 5 **péter un câble** (fam.): durchdrehen. • 6 **plaquer qn** (fam.): jdn. verlassen. • 13 **coller au train de qn** (fam.): an jdm. kleben, jdm. auf Schritt und Tritt folgen. • 15 **s'arranger:** sich wieder einrenken, sich legen.

Landremont a gueulé:
– Oh, c'est bon! Calme-toi, je blaguais …
Et moi, j'ai ajouté:
– C'était une litote.
5 Youssef a dit, De quoi?
– Une litote. Il disait noir pour mieux dire blanc, si tu préfères! Elle te déteste un peu moins, ça veut dire: elle t'aime. Putain, t'es lourd, des fois!
Landremont a soupiré:
10 – Voilà, exactement. Une litote.
Mais il me regardait d'un air préoccupé, comme il fait maintenant, chaque fois que je dis un truc intelligent. À croire qu'un peu plus, il allait me mettre sa main sur le front, pour voir si par hasard j'aurais pas
15 de la fièvre.
Il a ajouté:
– Germain, te brasse pas, mais franchement, je ne te reconnais plus. Je me demande si je ne te préférais pas avant, parce que des fois tu me fais peur, tu vois.
20 Marco a dit:
– C'est vrai que t'as changé! Tu bois presque plus, tu nous racontes plus de blagues, tu dis des mots que personne comprend, tu vas finir pas plus baiser qu'Annette, fais gaffe, méfie-toi! …
25 J'ai rien dit.

C'est vrai qu'avant, je les faisais marrer. Je racontais toujours des histoires de cul ou de Belges, ou de Juifs

8 **être lourd, e** (fam.): anstrengend sein. • 11 **être préocuppé, e:** sich Sorgen machen. • 17 **te brasse pas** (fam.): sei mir nicht böse, nimm es mir nicht übel. • 26 **faire marrer qn** (fam.): jdn. zum Lachen bringen.

ou de Noirs. Pas sur les Italiens, par rapport à Marco, pas sur les Beurs non plus, à cause de Youssef. Les amis, c'est sacré.

Aujourd'hui, j'ai compris que ces histoires-là, elles sont pas drôles, en fait. Mais quand on est bourré, on a le seuil qui baisse, on se marre pour rien. Ça devient vite une habitude, d'être un abruti, vous savez? J'en parle un peu par expérience.

D'abord on l'est par flemme, et puis on reste au ras. Et puis un jour, en comptant les pigeons, on tombe par coïncidence sur une grand-mère vacante et on finit avec la peste, les Jivaro et ce pauvre monsieur Gary qui pleure encore sur sa mère. Et cette gamine à Venise sauf qu'en fait c'est dans l'océan. Sans vous parler du dictionnaire qui est quand même un bouquin prenant, vu le temps qu'on y perd pour trouver quelque chose. Et petit à petit, on voit plus rien pareil. On s'intéresse plus aux mêmes choses. On baise plus, on fait l'amour. On supporte sa mère. On va dans des bibliothèques.

Et tout à l'avenant.

Alors, c'est évident que ça change un peu les choses, au niveau du comportement.

Je les comprends, mes potes, j'ai rien à critiquer. Sûr que je ne peux pas plaire à tout le monde: à eux et moi par la même occasion.

Mais j'en ai rien à foutre, en même temps.

2 **le Beur / la Beure** (fam.): in Frankreich geborenes Kind maghrebinischer Eltern. • 6 **le seuil:** Schwelle; hier: Hemmschwelle. • 9 **la flemme** (fam.): Faulheit (*avoir la flemme*, fam.: zu faul sein). • **rester au ras** (fam.): sich nur noch auf dem untersten Niveau bewegen. • 11 **vacant, e** (jur.): herrenlos, ohne Erben; hier: alleinstehend.

Un matin j'ai trouvé ma mère sous la pluie, au milieu des salades, en train de faire la conversation au tuyau d'arrosage.

– Tu ferais mieux de rentrer, je lui ai dit.

5 – Et pourquoi?

– Parce qu'il pleut.

– Toi, je te vois venir, avec tes manigances, elle a fait.

– Bon d'accord, il pleut pas. Juste il tombe de l'eau. Regarde un peu la gueule qu'elles ont, maintenant, tes 10 pantoufles!

Je l'ai raccompagnée jusqu'à la maison. Elle voulait pas se laisser faire, elle me gueulait de la lâcher, ingrat, sale petit morveux, et que je devrais avoir honte de brutaliser une pauvre femme comme elle. Je me 15 suis dit, Un jour, les voisins vont finir par appeler les flics, ils vont nous faire un plan ORSEC et tout le bordel et son train, on va pas y couper.

Il a presque fallu que je la porte, elle se laissait tirer et elle pèse son poids.

20 Dans sa chambre, elle avait pendu sa robe noire à un cintre, au montant de l'armoire.

2f. **le tuyau d'arrosage** (m.): Gartenschlauch. • 7 **les manigances** (f.): Machenschaften, Intrigen. • 12 **se laisser faire:** keinen Widerstand leisten. • 12f. **un ingrat / une ingrate:** undankbare Person. • 13 **le morveux / la morveuse** (fam.): Rotznase; Rotzbengel. • 14 **brutaliser:** brutal behandeln. • 16 **l'ORSEC:** *l'**O**rganisation des **Sec**ours:* Katastropheneinsatz. • 16f. **le bordel:** hier (fam.): Scheiße. • 17 **et son train** (fam.): etwa: und das, was dazugehört. • **pas couper à qc** (fam.): nicht um etwas herumkommen. • 18 **il faut faire qc:** man muss etwas tun. • 19 **peser son poids:** etwa: einiges wiegen. • 21 **le cintre:** Bügel.

– Tu vas à un enterrement? j'ai fait. Ça y est, le vieux Dupuis est mort?

– Non, elle a fait. La robe, c'est pour moi. Pour quand je partirai. Je veux qu'on m'enterre avec celle-
5 là, c'est la plus convenable.

– Tu vas pas mieux, toi! je lui ai dit. Tu en as encore pour vingt ans.

Et dans mon for, je pensais, Et même trente, vieille carne.

10 Comme elle n'avait pas l'air trop bien, je lui ai fait son café, je l'ai foutue au lit.

Et puis je suis parti chez Landremont pour qu'il m'aide à régler l'allumage.

Le soir elle était morte.

15 C'est con, j'aurais juré qu'elle allait m'enterrer.

Elle est partie de j'ai pas compris quoi, une attaque je crois. Un machin propre et net, en tout cas. J'ai déclaré son acte de décès à la mairie, et je me suis occupé de tout ce qui restait à faire, pour les pompes fu-
20 nèbres et tout ça.

À l'enterrement, il y avait tout le monde. Landremont s'en tenait une sévère étant donné que par association d'idées, les enterrements lui rappellent toujours celui de sa pauvre Corinne.

8f. **vieille carne!** (fam.): alter Knochen! (*la carne:* zähes Fleisch). • 13 **un allumage:** Zündung, Zündmechanismus. • 16 **une attaque (cérébrale):** Schlaganfall. • 17 **le machin** (fam.): Sache, Ding, Etwas. • 18 **un acte de décès** (m.): Sterbeurkunde. • 19f. **les pompes funèbres** (f.; pl.!): Bestattungsinstitut. • 22 **s'en tenir une sévère** (fam.): ordentlich besoffen sein. • 22f. **par association** (f.) **d'idées** (f.): durch den ähnlichen Kontext, Gedankenverbindung.

Mais plus il est bourré, plus il est digne et pour la circonstance il était dans le ton.

Jojo, Julien et Marco m'ont aidé à porter le cercueil.

Francine avait prêté la salle pour le repas d'enterrement, qu'on faisait surtout entre nous – ce qui était aussi l'occasion de fêter le départ de Jojo. Annette et elle avaient fait des beaux centres de table et elles avaient placé les gens en écrivant leur noms sur les faire-part qui restaient.

Du côté familial, vu que c'est l'hécatombe – mot dans lequel on entend *tombe* pour dire que tout le monde est mort – il n'y avait que ma grand-mère qui tenait des propos intempestifs – *Voir: déplacé, importun, inconvenant* – sur le cercueil, les fleurs, mes copains, le repas au restau, quel malheur, quel malheur! Dépenser tant d'argent et tout ça pour quoi faire?

– Tu nous saoules, Mémé!

– Oh toi, tu n'es qu'un garnement! Ah, tu es bien le fils de ta pauvre traînée de mère!

– Oui, Mémé.

– Germain, qui c'est, cette grosse dame là-bas, qui embrasse à pleine bouche un jeune homme, dans la cuisine?

1 **digne:** würdig, würdevoll. • 2 **la circonstance:** Anlass. • **être dans le ton** (fam.): den richtigen Ton treffen, sich angemessen verhalten. • 3 **le cercueil:** Sarg. • 7 **le centre de table:** Tischgesteck. • 9 **le faire-part:** (Familien-)Anzeige (Geburt, Heirat, Tod usw.). • 10 **une hécatombe:** Blutbad, Massaker; hier: Katastrophe. • 13 **tenir des propos intempestifs:** unpassende, unangebrachte Dinge sagen. • 13f. **importun, e** (litt.); **inconvenant, e:** unpassend, unangebracht. • 17 **saouler qn** (fam.): jdm. auf die Nerven gehen. • 18 **un/une garnement:** Bengel, Göre. • 19 **la traînée:** Schweif, Spur; hier (fam.): Schlampe, Nutte. • 22 **s'embrasser à pleine bouche:** sich einen Zungenkuss geben.

– C'est Francine, Mémé.
– Elle l'a vu, que c'est un Arabe?
– S'il te plaît, Mémé, ferme-la.
Comme ça devenait pénible, Landremont est passé
5 derrière le comptoir pour lui bricoler un cocktail, Goûtez-moi ça, madame Chazes, ça vous remet en place après une émotion.
– C'est bien bon, elle a fait. Vous m'en refaites un autre?
10 J'ai dit à Landremont, Charge pas trop la mule, quand même, à quatre-vingts balais.
– T'inquiète! Je lui ai mis la dose pour bébé.
Après on est allé coucher ma grand-mère dans le lit de Francine, et ça nous a fait du repos.

5 **bricoler qc:** etwas basteln; hier: etwas mixen, zusammenbrauen. • 6f. **remettre qn en place** (f.): jdn. wieder aufbauen. • 10 **pas trop charger la mule** (fam.): etwa: es nicht mit dem Alkohol übertreiben (*la mule:* Mauleselin).

Maître Olivier m'a téléphoné le mercredi, pour les condoléances, Quelle tragédie, monsieur Chazes, une femme si bien! Et si jeune! Et si vite!

– Eh oui, j'ai dit. On est bien peu de chose.

5 – Tant que j'y suis, monsieur Chazes, je voulais vous proposer de passer à l'étude, pour que nous réglions ensemble tout ce qui concerne la succession de madame votre mère.

Et c'est là qu'il m'a annoncé que j'allais hériter de 10 la maison et du terrain.

– C'est une erreur, j'ai dit. Ma mère est locataire.

– Non, non, il m'a fait, pas du tout, elle est propriétaire depuis plus de vingt ans, et vous êtes son seul hé-15 ritier.

Il a ajouté que ce n'était pas tout, qu'elle m'avait laissé autre chose mais que, par téléphone, enfin, par discrétion …

Il a voulu savoir à quel moment je serais disponible, 20 pour convenir d'un rendez-vous.

– Je suis en disponibilité, alors ça peut convenir tous les jours, j'ai répondu.

J'avais fini mon CDD à la SOPRAF depuis une bonne semaine.

5 **tant que j'y suis:** wenn ich schon mal dabei bin. • 6 **une étude:** Kanzlei, Büro. • 7 **la succession:** Erbschaft. • 20 **convenir de qc:** etwas ausmachen, sich auf etwas einigen. • 23 **le CDD:** *le Contrat à Durée Déterminée:* befristeter Arbeitsvertrag.

J'y suis allé le vendredi matin. En plus de sa maison où je me vois pas vivre, vu que j'y ai pas un seul bon souvenir, ma mère m'avait laissé un beau tas de pognon.

5 Elle avait économisé, sou à sou, pour son fils – autant vous dire moi.

C'est pas croyable. Quand j'étais môme elle me traitait comme si j'étais un chien qui jouait dans ses quilles. À peine je disais un mot plus haut que l'autre
10 et vlan, la gifle m'arrivait plus vite qu'un tabouret dans la gueule d'un flic. Et à côté de ça, chaque putain de jour dont le Seigneur lui a fait grâce, elle mettait du fric de côté pour mes vieux jours?!

Allez comprendre.

15 Chez le notaire, il y avait aussi une grande enveloppe à mon nom. Elle contenait des conneries, deux brassières de bébé, un bracelet de naissance marqué *Germain* et un petit bout de ficelle en plastique tout marron et ratatiné.

20 – Qu'est-ce que c'est cette merde? j'ai dit.

Maître Olivier a fait une drôle de tête.

– Heu … En fait, je crois me souvenir … notez que je ne lui ai pas demandé de détails, mais il se trouve

3f. **le pognon** (fam.): Geld, ‚Kohle', ‚Knete'. • 5 **sou à sou:** Münze für Münze (*le sou:* Sou, alte französische Geldmünze). • 5f. **autant vous dire moi** (fam.): etwa: ich brauche gar nicht zu sagen, wie es in diesem Moment in mir aussah. • 8f. **jouer dans les quilles de qn** (fam.): etwa: unerwünscht sein, stören (*la quille:* Kegel). • 13 **le fric** (fam.): Geld, ‚Kohle', ‚Knete'. • 14 **allez comprendre:** verstehe das mal einer! • 17 **la brassière:** Hemdchen; Jäckchen. • 18 **la ficelle:** Schnur. • 19 **se ratatiner:** zusammenschrumpfen; schrumpelig werden. • 23f. **il se trouve que** (+ ind.): in der Tat.

qu'elle m'avait expliqué d'elle-même … enfin, bref, je crois qu'il s'agit d'un morceau de cordon.

– De cordon de quoi?

– Ombilical. C'est un morceau de votre cordon ombilical, il me semble … Je crois.

Dans l'enveloppe, il y avait aussi une photo d'elle toute jeune avec un type aux yeux clairs, sur un manège et au dos elle avait écrit *Germain Despuis et moi, 14 juillet 1962*.

C'était mon paternel, donc, à la fameuse fête, une heure ou deux avant qu'il se la mette en cloque. Merde alors, j'ai pensé, il s'appelait Germain, lui aussi?

Finalement elle ne se gourait pas, Margueritte …

Avant de partir, j'ai demandé à maître Olivier:

– Dites, je me demandais …. Quand on écrit un testament et qu'on a une dernière volonté …

– Oui, eh bien? … En quoi puis-je vous renseigner?

– Ceux qui ouvrent le testament, ils sont bien obligés de le faire, ce qu'on a demandé, non?

– Ah mais non, pas du tout! C'est uniquement affaire d'appréciation personnelle! Si le défunt adresse une requête impossible à satisfaire, ou simplement contraire à la loi ou aux mœurs, nul n'est tenu de se conformer aveuglement à ses desiderata!

2 **il s'agit de …:** es handelt sich um … • 10 **le fameux … / la fameuse …:** der / die / das besagte … • 21 **une appréciation:** Einschätzung, Ermessen (*apprécier qn / qc:* jdn. / etwas [ein]schätzen, abschätzen). • 22 **la requête** (jur.): Gesuch, Antrag, Forderung. • 23 **les mœurs** (f.; pl.!): gute Sitten, Moral. • **nul, le** (litt.): niemand, keiner. • **être tenu, e de faire qc:** verpflichtet sein etwas zu tun. • 23 f. **se conformer à qc:** einer Sache nachkommen. • 24 **les desiderata** (m.): Anliegen, Wünsche.

– …?

– Voyez-vous?

– … Ça veut dire qu'on n'est pas forcé de lui faire sa dernière volonté, alors?

5 – On ne peut y être contraint, en aucun cas! Pourquoi cette question?

– Pour rien, laissez tomber.

Ça me foutait les glandes, rapport au monument aux morts et à Jacques Devallée qui avait toujours rai-
10 son, pour pas changer. En même temps, je me suis rendu compte que ça fait un moment que je ne l'écris plus, mon nom.

Je crois que je m'en fous, au fond, de pas rester indélébile.

7 **laisse(z) tomber!:** vergiss es!; vergessen Sie's! • 8 **foutre les glandes à qn** (fam.): jdm. Angst machen (*la glande:* Drüse).

Le notaire m'a confié l'enveloppe et m'a serré deux fois la main.

Je suis rentré chez moi avec tout ce bordel. J'ai posé ça en vrac au milieu de la table.

5 Quand Annette est passée me voir, elle a fait, C'est quoi, ça?

– Des souvenirs à ma mère, j'ai dit.

Elle a pris la photo, elle s'est mise près de la fenêtre, elle m'a demandé:

10 – C'est ta mère, là?

J'ai dit oui.

– Quel âge elle avait?

– Ben, vu mon âge à moi, elle avait dix-huit ans. Enfin, pas tout à fait. C'était le jour où mon père l'a mise 15 enceinte. De moi.

– Elle était drôlement belle, dis donc! C'est dingue, on n'aurait jamais cru, en la voyant comme ça, les derniers temps ... Et l'homme, c'est ton père, alors?

J'ai fait mmhhh.

20 – Tu l'avais déjà vue, cette photo?

– Non, jamais.

– Ça doit te faire drôle, non, de voir à quoi il ressemblait?

J'ai dit ouais.

25 – Il était vachement plus vieux que ta mère, on dirait!

J'ai dit, Bah, pas tant que ça, quand même.

1 **confier qc à qn:** jdm. etwas übergeben, anvertrauen. • 22 f. **à quoi qn ressemble:** wie jd. aussieht.

Il avait douze ans de plus qu'elle, il l'a baisée au bal du 14 Juillet.

Annette, elle a neuf ans de moins que moi, je l'ai sautée au bal du 1er Mai.

5 Y a peut-être pas que les yeux, que je tiens de mon père. Annette a pris ma tête entre ses mains. Elle a dit, justement:

– Montre tes yeux.

– Pfff, arrête …

10 – Allez, montre! Tu les tiens de lui, non? Si, si, regarde! En tout cas, il était grand, lui aussi. Mais pas aussi charmant que toi!

– Tu parles!

– C'est toi le plus beau, mon amour.

15 – Arrête un peu tes conneries, j'ai répondu en rigolant.

– Tu te souviens comment me faire taire, non? elle m'a dit avec un clin d'œil, avant de m'embrasser comme elle sait.

20 Cette nana, c'est fou, c'est à croire qu'elle n'a pas d'os dans le squelette. Vous pouvez la serrer autant que vous voulez, c'est souple de partout.

C'est comme un édredon, en fille.

Plus tard, elle m'a demandé:

25 – Qu'est-ce que tu vas en faire, de tous ces souvenirs?

J'en savais foutre rien. C'était encore une idée à la con de la part de ma mère, de me refiler ses guenilles.

4 **sauter qn** (fam.): jdn. bumsen. • 23 **un édredon:** Daunenbett, Daunendecke. • 26 **en savoir foutre rien** (fam.): keine Ahnung, keinen blassen Schimmer haben. • 27 **les guenilles** (f.; pl.!): Lumpen, zerlumpte Kleidung; hier: Krempel.

Par vice. Parce que je la connais comme si elle m'avait fait. Elle le savait bien, cette garce, que je suis pas du genre à jeter les cordons, ni les photos de mon père inconnu – surtout lorsqu'il n'y en a plus
5 qu'une.

Annette a dit:

– Tu sais ce que tu n'as qu'à faire? Tu mets tout dans une jolie petite boîte, et voilà.

– Et la boîte, après, j'en fais quoi? Je la pose sur la
10 télé?

– Tu l'enterres.

Vu que mes légitimes et naturels étaient déjà au fond du trou, son idée semblait pas ridicule.

– Ou alors ..., a ajouté Annette.

15 Elle s'est arrêtée là.

– Ou alors quoi?

– Tu gardes tout pour tes enfants ... La photo, surtout. Ce serait bien, pour eux, d'avoir au moins une photo de leurs grands-parents.

20 – Ça serait bien, si j'avais des enfants.

– ...

– Oh?

Annette avait ses yeux de fête de Noël. Elle a dit:

– C'est seulement si tu veux, mon amour. On le
25 garde si tu es d'accord. Tu es d'accord?

J'ai dit, Ben oui.

Qu'est-ce que vous vouliez faire?

Elle s'est enroulée dans mes bras en riant.

Elle a dit, Mon amour, mon amour.

2 **la garce** (fam.): durchtriebenes Luder, Miststück. • 28 **s'enrouler:** sich einwickeln; hier: sich legen.

Et aussi, Je suis sûre que c'est une fille.

Et tout de suite après, On va être heureux, tu verras.

Je crois bien que je vois déjà.

Le lendemain, j'ai dit à Margueritte, pour ma mère.
Elle a posé sa main sur la mienne, elle a fait:
– Votre maman? Oh, Germain, je suis désolée! C'est une terrible nouvelle.
5 – Bah, vous savez, ma mère et moi ...
J'ai pas insisté davantage, elle n'aurait pas compris. Margueritte, elle vient d'un monde où les mères ont la fibre. J'avais pas envie de lui dire tout ce que vous savez déjà, les cris à rameuter les voisins, les albums de
10 photos niqués, les portes qui claquent et tout le bordel.
Le jour où je me suis épanché sur ma vie – après le dictionnaire – j'ai bien vu qu'elle avait de la peine pour moi. Elle a bien assez de soucis comme ça, je vais pas l'embêter davantage.
15 Quand on aime les gens, on les garde à l'abri.
Ma mère et moi, c'est terminé pour cause de décès. Y a rien à rajouter, sauf à tirer l'échelle.
Margueritte, elle doit penser que je suis malheureux. C'est pas le cas, et j'en ai même pas honte. Com-
20 ment je pourrais lui expliquer qu'elle et moi, sur ce banc, on a discuté plus que je l'ai jamais fait avec ma pauvre mère – je dis pauvre, c'est par respect, pas par sentiment, croyez-moi. Et que de la savoir clamsée, ça me fait pas deuil plus que ça? Et que d'en avoir hérité

9 **rameuter:** versammeln, zusammenrufen. • 10 **niquer** (fam.): kaputtmachen, zerstören. • **claquer:** (zu)schlagen. • 15 **garder qn à l'abri:** jdn. schützen (*un abri:* Schutz, Unterschlupf). • 17 **tirer l'échelle** (fam.): etwa: einen Schlussstrich ziehen (*une échelle:* Leiter; Absatz). • 24 **faire deuil à qn** (fam.): etwa: jdn. traurig stimmen (*le deuil:* Trauer).

j'en ai pas de reconnaissance, juste un peu plus d'énervement de savoir qu'elle tenait à moi sans jamais avoir été foutue de me le dire?

Les gamins, vaut mieux s'en faire aimer de son vivant, je crois. C'est comme ça que je vois les choses. Qu'on voit les choses, Annette et moi.

J'ai changé de sujet, y avait que ça à faire. J'ai demandé:

– Vous viendriez pas manger à la maison, un dimanche midi, si je viens vous chercher?

– Chez vous?

– Ben, enfin, dans la caravane! On peut manger à quatre, vous savez, alors c'est pas pour la place que vous tenez ... Et s'il fait beau, on mettra la table dehors ... vous verrez mon jardin!

Elle a ri, elle a fait:

– Oh, mais, pourquoi pas? Ce serait avec grand plaisir ...

On a discuté du menu, elle apportera le dessert. Je passerai la prendre dimanche prochain, sur le coup de onze heures.

Et puis elle m'a dit:

– De mon côté, je serais tellement ravie de pouvoir vous inviter aux Peupliers, Germain. J'espère que vous seriez d'accord?

– Bah, oui, bien sûr, mais je sais pas trop si j'ai le droit, j'ai fait.

1 **la reconnaissance:** Dankbarkeit; Anerkennung. • 2f. **ne pas être foutu, e de faire qc** (fam.): nicht in der Lage sein etwas zu tun. • 20f. **sur le coup de onze heures:** gegen 11 Uhr. • 23 **être ravi, e:** sich außerordentlich freuen, begeistert sein.

– Bien sûr que si: les pensionnaires ont la possibilité d'inviter leur famille un dimanche par mois. Je dirai que vous êtes mon petit-fils.

J'ai pensé que si elle disait ça, c'est qu'on s'était adoptés de façon réciproque, et que ça tombait bien, rapport aux sentiments.

– Votre petit-fils, moi? Et vous croyez qu'ils vont vous croire?

– Oh, il me semble que nous nous ressemblons un peu, non? La stature surtout …

J'ai rigolé.

– C'est vrai qu'on a un petit air, j'ai dit.

1 **le/ la pensionnaire:** Internatsschüler(in); Pensionsgast; hier: Bewohner(in). • 12 **avoir un petit air** (fam.): etwa: eine gewisse Ähnlichkeit haben.

Editorische Notiz

Der französische Text folgt der Ausgabe: Marie-Sabine Roger, *La tête en friche*, Rodez: Éditions du Rouergue, 2008. Das Glossar enthält alle Wörter, die nicht im *Thematischen Grund- und Aufbauwortschatz Französisch* von Wolfgang Fischer und Anne-Marie Le Plouhinec (Stuttgart: Klett, 2000) enthalten sind. Dabei wird der Grundwortschatz in der Regel als bekannt vorausgesetzt; Wörter, die zum Aufbauwortschatz zählen, sind bei Bedarf erklärt. Allerdings wurde bei auch im Deutschen verständlichen und geläufigen Begriffen auf eine Erklärung verzichtet.

Im Glossar verwendete französische Abkürzungen

angl.	anglais, anglicisme
arg.	argot (Jargon)
enf.	langage enfantin (Kindersprache)
f.	féminin
fam.	familier (umgangssprachlich)
fig.	sens figuré (übertragen)
hist.	historique
ind.	indicatif
intr.	intransitiv
iron.	ironique
it.	italien, italianisme
jur.	juridique
loc.	locution (Redewendung)
m.	masculin
méd.	médecine
néolog.	néologisme (Neubildung)
pop.	populaire (salopp)
prov.	provençal
région.	régional
subj.	subjonctif
vulg.	vulgaire (vulgär, derb)
vx.	vieux (veraltet)

Nachwort

Marie-Sabine Roger wurde 1957 in Bordeaux (Südwestfrankreich) geboren. Nach eigenen Angaben schreibt sie schon seit ihrer Jugend. Ihr erstes Buch – ein Kinderbuch – erschien 1989. Während ihrer zehnjährigen Tätigkeit als Kindergärtnerin (1990–2000) war sie stets hin- und hergerissen zwischen dem Wunsch zu unterrichten und dem Drang zu schreiben. Sie hat sich schließlich für ein Leben als Schriftstellerin entschieden und lebt heute, nach einigen Jahren in Südfrankreich, mit ihrer Familie in Kanada. Sie schätzt die Begegnung mit ihren Lesern, ganz egal welchen Alters und welcher Generation sie angehören, deren Kontakt sie regelmäßig in Schulen, Bibliotheken und Lehrerseminaren sucht.

Rund 90 ihrer Werke wurden bisher bei verschiedenen Verlagen publiziert, darunter vor allem Novellen und Romane. Sie schreibt sowohl für Kinder und Jugendliche als auch für Erwachsene. Mehrere ihrer Werke wurden bereits ausgezeichnet. *La tête en friche* erhielt den Prix Inter 2009. Vor Erscheinen der Übersetzung *Das Labyrinth der Wörter* (2010 im Verlag Hoffmann und Campe) waren Werke von Roger in Deutschland noch nicht publiziert worden. Die gleichnamige Romanverfilmung verhalf ihr hierzulande zu weiterer Bekanntheit.

In ihren Werken behandelt Roger sehr unterschiedliche Themen mit einer steten Mischung aus Humor und Ernsthaftigkeit: »Je veux provoquer et mettre en scène des émotions, du fantastique, de l'humour. Parce qu'on a toujours une vision partielle, en tous cas personnelle du monde […]. L'humour adoucit et permet de faire passer énormément de choses.«[1] Ihre Arbeit mit Kindern und Jugendlichen hat sie dabei stark beeinflusst: »J'ai enseigné en ZEP où j'ai été

1 Interview mit Emmanuelle Fumet, in *Citrouille* n° 26, 2000, S. 19–22; http://lsj.hautetfort.com/archive/2010/02/20/a-la-vie-a-l-ecriture-une-interview-de-mar.html

confrontée à des situations familiales, sociales et culturelles parfois dramatiques. Ça m'a enrichie et ça m'a donné envie de parler de certaines choses.«[2]

Daraus schöpft sie die Inspiration für ihre Geschichten. Sie greift Themen auf, die in unserer Gesellschaft häufig unter den Teppich gekehrt werden, jedoch einen Teil der heutigen Lebenswirklichkeit widerspiegeln: Erwachsene und Kinder mit schweren Schicksalen, die gezwungen werden, am Rande der Gesellschaft zu leben. Durch ihre Erzählungen verleiht sie ihnen eine Stimme. Die Geschichten sind einfach, aber prägnant erzählt. Kurze, übersichtliche Kapitel und unkomplizierte Satzstrukturen dominieren dabei. Auf den ersten Blick erscheinen sie meist harmlos, regen den Leser jedoch zum Nachdenken an.

In *La tête en friche* kritisiert Roger unter anderem das heutige Schulsystem, das die Stärkeren fördert und nur unzureichende Individualförderung für die Schwächeren vorsieht. Auf sich allein gestellt quälen sich die vernachlässigten Schüler durch den Schulalltag und haben später Schwierigkeiten, ihren Platz in der Gesellschaft zu finden.

Sprache spielt eine wichtige Rolle in Rogers Werken. Sie verfügt über die seltene Gabe, verschiedene Sprachregister zu beherrschen und den Akteuren ihrer Werke stets die richtigen Worte in den Mund zu legen. So findet sie problemlos die richtige Ausdrucksweise, um z. B. in *La théorie du chien perché* die Gedankenwelt eines autistischen Mädchens oder in *Attention fragiles* die sensorische Wahrnehmung eines blinden Jungen für den Leser greifbar zu machen. Für sie sind Worte sehr wichtig. Wie Germain in *La tête en friche* ganz richtig sagt: »avoir les mots qu'il faut, ça peut rendre service, quand on veut s'exprimer« (S. 26); »Les mots, ce sont des boîtes qui servent à ranger les pensées, pour mieux les présenter aux autres et leur faire l'article« (S. 25). Germain hat sie z. B. eine vulgäre, etwas bäuerliche Alltagssprache zugedacht. Die Wiederholung bestimmter sprachlicher Ausdrü-

2 Ebd.

cke und Floskeln führt dazu, dass die Figur sehr schnell plastisch erscheint und dem Leser im Gedächtnis bleibt. Mit der Sprache, ihren Wörtern und deren Eigenschaften spielt sie sehr gern. So findet man in *La tête en friche* neben Homonymen und Synonymen auch durch Missverständnisse entstandene Satzkreationen: »La chance, elle est pas communiste« (S. 147). Bisweilen geht sie sogar so weit, für einen Gnom (in *Dakil le Magnifique*), eine eigene Sprache zu erfinden: »Ces mots sont des raccourcis pour aller directement à l'émotion. [...] Je réinvente les mots pour trouver les teintes dont j'ai besoin.«[3]

La tête en friche ist die Geschichte einer Begegnung. Zwei Menschen, die unterschiedlicher nicht sein könnten, freunden sich an. Auf der einen Seite der Ich-Erzähler Germain Chazes, Mitte 40, 1,89 m, 110 kg, ein Koloss von einem Mann. Den ersten Eindruck, den man von Germain bekommt, ist der eines etwas unterbelichteten, grobschlächtigen Eigenbrödlers, der vom Leben bisher alles andere als verwöhnt wurde: der geborene Verlierer.

Seine Mutter, die während der Feierlichkeiten zum 14. Juli ungewollt schwanger wurde, hat ihn alleine großgezogen und ihm dabei immer wieder zu verstehen gegeben, dass er lästig und dumm sei, mit dem Ergebnis, dass er nach und nach emotional verkümmerte: »Quand on te fait pousser sous cloche, tu peux pas t'élever bien haut« (S. 75).

Von seinem Grundschullehrer wurde er stets als Schwachkopf abgestempelt und vorgeführt. Seitdem fristet er sein Dasein in einem Wohnwagen auf dem Grundstück seiner Mutter, auf dem er etwas Gemüse züchtet. Ohne Schulabschluss und kaum des Lesens und Schreibens mächtig, hält er sich mit Gelegenheitsjobs und dem Verkauf des selbst angebauten Gemüses über Wasser und trinkt gerne mal mit seinen Kneipenkumpanen einen über den Durst. Er verbringt seine Freizeit damit, kleine Holztierchen zu schnitzen, Tauben im

3 Ebd.

Park zu zählen und seinen Namen mit Edding auf das Kriegsgefallenendenkmal der Stadt zu schreiben. Dies wird von den Ordnungshütern der Stadt zwar regelmäßig wieder entfernt, aber ebenso regelmäßig und hartnäckig von Germain wieder angebracht. Eine Freundin hat er auch seit geraumer Zeit, doch sein Verhältnis zu ihr beschränkt sich darauf, seine sexuellen Bedürfnisse zu stillen.

Germain sagt das, was er denkt, mit den Wörtern, die ihm zur Verfügung stehen. Er ist gefangen in seinem eingeschränkten Wortschatz und daran gewöhnt, von den anderen als Trottel behandelt zu werden. Der Bildungsunterschied zu den Menschen in seiner Umgebung ist ihm jedoch sehr wohl bewusst, und das lässt ihn nicht kalt: »Si être intelligent, c'était qu'une question de volonté, je serais un génie, je peux dire. Parce que j'en ai fait, des efforts. J'en ai fait! Mais c'est comme si je voulais creuser une tranchée avec une cuillère à soupe. Tous les autres ont des tractopelles, et moi je suis là comme un con« (S. 39f.).

Auf der anderen Seite steht die feinsinnige und kultivierte Margueritte Escoffier, eine 86-jährige alte Dame aus gutem Hause und von gepflegter Erscheinung. Die promovierte Biologin und passionierte Leserin lebt ohne familiäre Bande seit Jahren im Altersheim »les Peupliers«.

Germain und Margueritte verbindet eine gemeinsame Leidenschaft: das Taubenzählen im Park. Diese Tätigkeit hilft Germain, wenn es für ihn einmal wieder unerträglich wird, seinen Seelenfrieden zu finden. Er zählt die geschäftigen Tauben, beobachtet ihr Verhalten und gibt ihnen sogar Namen. So findet er kurzfristig wieder Ruhe. Margueritte kann mit dem Taubenzählen dem tristen Alltag im Altersheim entfliehen.

Als Germain eines Tages wieder einmal in den Park geht, um sich zu entspannen, sitzt plötzlich diese alte Dame auf einer Bank und beobachtet die Tauben. Margueritte spricht ihn an und sie kommen ins Gespräch. Zunächst einmal tauschen sie sich über ihre gemeinsame Leidenschaft aus, doch sehr schnell merken beide, dass sie sich sympathisch sind: »C'est bizzare, j'ai eu l'impression qu'on était copains tous les deux. Enfin, pas vraiment, quelque chose d'approchant […]: *complices*« (S. 24).

Bei ihrem zweiten Treffen wird schnell deutlich, dass Margueritte neben dem Taubenzählen einer anderen Leidenschaft frönt: der Literatur. Beim nächsten Mal bringt sie ein Buch mit: *Die Pest* von Albert Camus. Darin hat sie einen Abschnitt gefunden, der von Tauben handelt. Germain ist zunächst etwas eingeschüchtert, bittet sie aber dann doch, besagten Abschnitt noch einmal langsam vorzulesen. Die Magie der Worte beginnt zu wirken. Getreu ihrem Motto: »pour faire aimer la lecture aux petits, il faut leur lire à haute voix. […] si on fait ça bien, ça les rend dépendants, après, comme une drogue. Ils ont besoin de livres, après, en grandissant« (S. 91) führt sie Germain wie ein Kind behutsam an die Literatur heran. Ihr wird sofort klar, dass sich hinter dem grobschlächtigen Kerl eine sensible Seele verbirgt. Sie erkennt schnell, dass in Germain brachliegendes Potential schlummert, gepaart mit einer unglaublichen Auffassungsgabe. In Margueritte hat Germain endlich den richtigen Gärtner für seinen Intellekt, seinen mentalen Garten gefunden: »c'est pas parce qu'on est inculte qu'on n'est pas cultivable. Il suffit de tomber sur un bon jardinier« (S. 156); »D'un coup de baguette magique, elle m'avait changé en jardin potager« (S. 201).

Bald macht Margueritte, die längst gemerkt haben muss, dass Germain fast Analphabet geblieben ist, ihrem neuen Freund ein besonderes Geschenk: ein Lexikon: »[Les dictionnaires] servent avant tout à voyager. […] C'est un labyrinthe … un extraordinaire labyrinthe, où l'on se perd avec bonheur« (S. 160). Sanft und ohne Druck hilft sie ihm, sich in diesem Labyrinth der Wörter zurechtzufinden, dessen viele Querverweise niemals enden, aber mit viel Wissen belohnen.

Auf die *Pest* folgen bald weitere Bücher, deren Inhalt Germain mit genauso viel Enthusiasmus in sich aufsaugt: *La Promesse de l'aube* (dt.: *Frühes Versprechen*) von Romain Gary, *Le vieux qui lisait des romans d'amour* (dt.: *Der Alte, der*

Liebesromane las) von Luis Sepúlveda und *L'enfant de la haute mer* (dt.: *Das Kind vom hohen Meer*) von Jules Supervielle. Durch die Diskussionen mit Margueritte über das Gelesene und durch dieses besondere Geschenk erweitert sich Germains Wortschatz nicht nur in rasanter Weise (durch die eingestreuten Lexikoneinträge erlebt man dies plastisch mit), er schöpft vieles aus dieser Lektüre und beginnt als Folge zusehends über sein Leben und seine Beziehung zu anderen Menschen nachzudenken. Germain beginnt sich zu verändern: »Tout d'un coup, je me suis aperçu d'une chose étonnante: j'étais en train de me poser des questions sur moi-même, sur ma façon de penser, de réagir, tout ça! [...] Margueritte, sans le vouloir, elle m'avait déclenché une sacrée envie de réflexion [...]. Je me suis vu d'en haut [...]. Je crois que ce soir-là, j'ai eu comme une crise d'intelligence« (S. 72–75).

Er nimmt sein Leben jetzt nicht mehr einfach als gottgegeben hin, wie bisher, sondern beginnt aktiv daran teilzunehmen und es selbstbestimmt zu gestalten. Auch seine Mitmenschen nimmt er auf einmal ganz anders war. Er beginnt zwischen Schein und Sein zu differenzieren und nachzudenken. Alle, mit denen er bisher den Großteil seiner Zeit verbrachte, von denen er einst ausgelacht und belächelt wurde, stehen mit ihren Macken und Fehlern auf einmal nicht mehr über ihm. Sie haben keinen Einfluss mehr auf ihn. Er entfernt sich zusehends: »Et tout d'un coup on voit les fissures, la rouille, les défauts, tout ce qui part en couille« (S. 59).

In Landremont, der ihn bisher immer nur als Dorftrottel von oben herab behandelt hat, erkennt er einen Schwätzer, der sich gerne in den Vordergrund stellt, meist aber nur heiße Luft von sich gibt. In Youssef, einen zweifelnden Mann, der die Liebe seines Lebens, die ihm wegen ihres Alters keine Kinder mehr schenken kann, für eine deutlich jüngere Frau vorübergehend verlässt und sie damit fast verliert. Annette hingegen war anfangs nur eine Freundin, eine Frau, mit der er keine Verpflichtungen eingehen musste und bei der er seinen sexuellen Trieb befriedigen konnte. Er erkennt auf einmal ihn ihr die Liebe seines Lebens; eine Frau, die ihn so liebt wie er ist (»[Annette], elle me voit avec les yeux du cœur«, S. 153), und mit der er sich eine gemeinsame Zukunft und eine Familie vorstellen kann. Margueritte ist nicht mehr nur eine belesene und intellektuelle alte Dame, die ihm Romane vorliest und mit der er Tauben zählt, sie ist zu seiner Vertrauten geworden. Sie verkörpert Nächstenliebe, Geduld und Güte in einer Person und ist ein Ersatz für die Familie, die er nie hatte; die Mutter und Großmutter, die er sich immer gewünscht hat. Die Beziehung zu seiner Mutter ist eine besondere und basiert auf einer Art Hassliebe. Sie hat ihm zwar immer das Gefühl gegeben, unerwünscht und dumm zu sein: »Quand j'étais gamin, ma mère m'appelait l'imbécile heureux. Mais ce n'était pas vrai, je n'étais pas heureux. Imbécile, ça je veux bien. Mais *heureux*, pas du tout. [...] Ma mère m'appellait aussi le taré, ou l'andouille. Et quand je me suis mis à grandir: le grand con« (S. 36). Tief in ihrem Herzen hängt sie doch an ihm. Ein einziges Mal zeigt sie es in aller Deutlichkeit. Als nämlich ihr neuer Lebensgefährte, der Modeschmuckhändler Gardini, Germain mit der Hand züchtigt, nimmt sie ihn in Schutz und jagt den Rohling auf sehr unsanfte Weise fort. Auch Germain ist nicht wirklich gut auf sie zu sprechen; zwischen den Zeilen liest man aber doch, dass er sich um sie sorgt und an ihr hängt: »Ma mère et moi, on ne discute pas des masses. On s'évite. De temps en temps, je jette un œil pour vérifier si c'est ouvert, si elle a du linge étendu« (S. 132). Durch Margueritte und die Lektüre des Werks *La promesse de l'aube* von Romain Gary, in dem es um eine glückliche Mutter-Sohn-Beziehung geht, wird ihm klar, dass man nur eine Mutter hat und die mütterlichen Bande mit der Geburt nicht enden.

Erst bei der Testamentseröffnung wird Germain klar, dass auch er seiner Mutter nicht gleichgültig war. Sie konnte ihm nur zu Lebzeiten nicht die Liebe zeigen, die sie für ihn empfand. Erst mit ihrem Tod und dem hinterlassenem Erbe: ein unter Mühen abbezahltes Haus und eine ansehnliche Summe Geld. Als Symbol dafür, dass die Mutter-Kind-Bande nie abgebrochen sind und ihre Sehnsucht nach einer glücklichen

Familie ein Leben lang bestand, hat sie die Nabelschnur aufbewahrt, die sie einst verband, sowie ein Foto von ihr mit seinem ihm unbekannten Vater, Germain Despuis.

Reich an neuen Erkenntnissen ist Germain nun bereit, Verantwortung für sein Leben zu übernehmen, und für Menschen, die er liebt, seinen Stolz, seine bislang verständliche Zurückhaltung und seine Angst, abgewiesen und abgelehnt zu werden, aufzugeben und zu handeln. So lernt er für die langsam erblindende Margueritte lesen, um ihr bald selbst vorlesen zu können. Und hatte er dem Wunsch Annettes, mit ihm eine Familie zu gründen, relativ skeptisch gegenübergestanden, freut er sich nun umso mehr, als Annette ihm die frohe Botschaft überbringt, dass er bald Vater wird.

Germain hat nun die Chance, das zu erreichen, wonach er sich sein Leben lang gesehnt hat: ein harmonisches Zuhause, in dem Liebe, gegenseitiger Respekt und Zuneigung regieren. Margueritte, Annette, er und das ungeborene Kind werden von nun an eine Familie bilden: Germain und Margueritte haben sich gegenseitig adoptiert. Aus Germain ist ein verantwortungs- und selbstbewusster Mann geworden, der optimistisch in die Zukunft blickt: »les obligations familiales. C'est un truc qui va bien me plaire, je le sens« (S. 5).

Mireille Schauwecker

Inhalt